1/22

MONSIEUR PAPA

*Né le 6 octobre 1932 à Marseille, Claude Klotz vit depuis 1938 à
Paris, est marié et père de deux enfants. Après des études de phi-
losophie, il fait la guerre d'Algérie puis enseigne dans un collège
de banlieue parisienne jusqu'en 1976. Il vit aujourd'hui de sa
plume et est critique de cinéma au journal* Pilote.
*Il a publié beaucoup de romans et de romans policiers, notam-
ment la série des Reiner adaptée à la télévision et connaît la célé-
brité sous le pseudonyme de Patrick Cauvin avec des best-sellers
comme* L'Amour aveugle, E = MC² mon amour, Pourquoi pas
nous *et* Monsieur Papa, *la plupart de ces livres ayant été portés à
l'écran. Parmi les causes du succès de son œuvre, il y a sans
aucun doute son humour constant, une langue pleine de verdeur
et de réalisme, et la volonté dans chacun de ses romans d'effacer
la grisaille du quotidien grâce aux couleurs chaudes de l'amitié
et de l'amour.*

« Moi, je préfère Franck. » Celui qui fait cette déclaration
péremptoire c'est Laurent, dix ans, et Franck, c'est son père.
D'ailleurs quand sa mère a quitté la maison pour vivre avec un
Américain, ça ne lui a rien fait. « C'est plus simple avec Franck,
c'est plus simple pour la cuisine, pour rire, pour tout. »
Mais Laurent doit passer ses vacances en Ardèche avec sa
maman. Quant à Franck, il ira à Bangkok. Là, Laurent n'est pas
du tout d'accord. Il veut, lui aussi, partir pour Bangkok et, surtout, ne pas quitter son grand copain de père.
Pour parvenir à ses fins, Laurent emploiera tous les moyens, des
plus drôles aux plus désespérés.

Paru dans Le Livre de Poche :

L'AMOUR AVEUGLE.
$E = MC^2$, MON AMOUR.
POURQUOI PAS NOUS?
HUIT JOURS EN ÉTÉ.
C'ÉTAIT LE PÉROU.
NOUS ALLIONS VERS LES BEAUX JOURS.
DANS LES BRAS DU VENT.
LAURA BRAMS.
HAUTE-PIERRE.
POVCHÉRI.
WERTHER, CE SOIR.
RUE DES BONS-ENFANTS.
BELLES GALÈRES.

PATRICK CAUVIN

Monsieur Papa

ROMAN

J.-C. LATTÈS

MADISON SQUARE GARDEN

— « Les moutons paissaient. »

— Les moutons quoi ?

— « Paissaient ». « Les moutons paissaient ». Point à la ligne. Phrase suivante : « Le charcutier fabrique du pâté ».

— Pas si vite. « Le charcutier » ?

— « Fabrique du pâté. »

Tu parles d'un intérêt, la dictée, je me doute que c'est pas le cordonnier qui le fabrique, ce foutu pâté. Il a pas l'air de bon poil pépé ce soir. Il déteste le jeudi parce que le jeudi, c'est le soir de la dictée, et que pendant qu'il me dicte, il a pas le temps de lire son journal. Je le vois bien du coin de l'œil : il essaie mais il peut pas suivre, il saute des lignes et ça le rend tout furieux. Je me marre en dedans.

— Ça y est, tu as écrit ?

— « Pâté » Après ?

— « Pierrot et son frère font des provisions chez la marchande. »

Encore une belle phrase pleine d'intérêt. Ce que je trouve le plus marrant dans tout ça, c'est quand je me couche sur la table, la tête sur le coude et l'œil au ras du papier, ça fait de grosses lettres énormes et pourtant, j'écris tout petit. Chaque fois que je fais un petit *O,* on dirait un cercle grand comme la page et plat, complètement déformé.

— Bon Dieu, tu peux pas te redresser et essayer d'écrire droit !

Là, j'ai pas d'arguments pour répondre parce que c'est vrai que quand j'écris couché, ça descend. Ça descend drôlement. Bien sûr, ce n'est pas grave mais lui, c'est sa manie, chaque jeudi ça recommence, dès que la ligne descend un peu, on dirait que je lui vole ses sous.

— Chez qui font-ils des provisions ?

— Chez le marchand.

— Tu avais dit la marchande.

— Si tu le sais, pourquoi me le demandes-tu ?

Je crois qu'il va me faire la grosse colère le pépé Franck. Il devient de plus en plus énervé comme homme.

J'ai dû faire des fautes, c'est sûr. Si j'en ai fait deux, il va me dire que j'aurai de la chance si je finis plombier, si j'en ai plus de quatre, ce sera balayeur. Mais tout ça, ça me touche pas parce que, que j'en fasse zéro ou trois mille, je serai gangster, alors il peut dire tout ce qu'il veut.

— T'as fini ?

— Ouais.

— On ne dit pas « ouais ».

Super énervé ce soir. Ça doit pas aller à la télé, il doit monter un film mauvais avec des bouts de pellicules tout mélangés. Je le comprends que ça fatigue de voir des petits films sur l'écran, mais dans un sens, c'est agréable d'être tout le temps au cinéma. Quand Gilles ou les autres me demandent ce qu'il fait, je le dis toujours : « Mon père, il regarde des films »... Ça les épate un peu les mecs.

— ... « dans le ciel gris de l'hiver. »

Merde, j'ai loupé le début : ça va pas améliorer son caractère.

— Tu peux pas répéter ?

— Je monte huit heures par jour, je suis instituteur le reste du temps, je fais les courses, la tambouille et le saint frusquin, et je ne te demande qu'une chose : faire attention à ce que je dis, mais ça c'est trop ! C'est trop pour toi ! Oh, et puis tu seras plombier, je sais pas pourquoi je me casse la tête.

Je l'avais dit. J'avais dit qu'il le dirait ; eh bien, il l'a dit.

— « La fumée monte dans le ciel gris de l'hiver. »

J'écris. J'écris mais je pense en même temps. Je sais bien que c'est mauvais pour l'orthographe, mais moi, la pensée, c'est ma passion.

Moi, qu'elle soit partie, ça m'a pas tellement, tellement gêné. De toute façon, pour la tambouille et les courses et les dictées, c'était lui, même quand elle était à la maison, alors je ne vois pas trop la différence.

Des fois, j'arrivais à quatre heures et demie et je tombais en plein cirque. Elle avait les jambes en l'air et fallait pas que je compte qu'elle me file mon quatre-heures : elle était folle de yoga. Je trouve qu'on est bien à deux quand il est pas énervé, on rigole, on fait des combats, on regarde la télé, il est souvent content, je l'entends siffler comme un fou quand il se douche. Il s'est acheté des chemises cow-boy terribles, et avant il n'était jamais sapé gai. Il m'a acheté un tee-shirt *Wisconsin University,* et j'aurais pas pu mettre ça quand Sylviane était là. Y'a qu'un truc que je lui reproche : c'est les vacances.

— Relis-toi.

Il a une idée fixe, il a tout goupillé dans sa tête : moi, je pars avec Sylviane et son copain américain, et lui il file à Bangkok, alors là, doucement les basses, je suis pas d'accord ; mais là, j'ai mon projet, mais c'est pas le moment d'en parler parce que c'est pas sûr encore. Je vais dessiner la tête de Géronimo. Un vache de mec Géronimo. Un Apache.

— Montre-moi ça.

Quand je lui file ma feuille, ça me fait toujours un déclic dans le ventre comme si j'avais les jetons, mais j'ai pas les jetons parce qu'il m'a jamais tapé. Il crie mais il tape pas.

Si je répète vingt fois de suite dans ma tête que j'ai pas de fautes, j'aurai pas de fautes.

Pan, une faute, je l'ai vu à son sourcil.

— Pâté, dit-il, pourquoi tu as mis un *e* au bout de pâté ?

Oh alors là, oh alors là, oh alors là, dis donc, oh non ça alors, c'est plus fort que tout, ça, ça me suffoque.

— Oh ben dis donc, c'est toi qui me l'as dit la dernière fois qu'il y en avait un !

Il se redresse dans son fauteuil le père Franck, il

a l'air absolument indigné, il met son doigt sur sa poitrine.

— MOI, je t'ai dit ça. MOI ?

— Oui TOI, tu me l'as dit, jeudi dernier.

Alors là, il est coincé, parce que ça, j'en suis sûr ; il me fait faire des fautes et après, il dit que c'est moi, c'est la meilleure !

Il jette le journal en l'air, en plus ! Non seulement il est de mauvaise foi, mais en plus, il a pas de mémoire. Il hurle à présent.

— Mais c'était LA pâtée ! LA pâtée du chien, je m'en souviens bien.

C'est extraordinaire ce que cet homme est plein de ressources : il trouve toujours le moyen de s'en sortir. Mais il a pas gagné.

— C'est pas normal.

Il me regarde, les sourcils froncés.

— Qu'est-ce qui n'est pas normal ?

— Que lorsque le charcutier fabrique un pâté, on ne mette pas de *e,* et que lorsque le chien en mange, on en mette un.

Il se tait : il sait qu'il est vaincu.

— Et fumée ? Pourquoi tu n'as pas mis de *e* à fumée ? Quand c'est féminin, il y a toujours un *e.* Tu ne sais pas encore ça ?

— Non.

— Quoi non ?

— On ne met pas toujours un *e.*

— Si, toujours.

— On dit LA maison et il n'y a pas de *e* à maison.

Et toc. Pare celle-là.

— Ne discute pas pour le plaisir, il y a un *e* à fumée. C'est tout.

Il rajoute un *e* énorme qui tient le quart de la feuille, et découvre encore, Dieu sait où, deux autres fautes. Ça fait quatre, ce qui veut dire que ce soir, je ne suis plus plombier mais balayeur.

Il râle un peu mais il est quand même content parce que c'est fini et qu'il va pouvoir bouquiner son journal, et c'est là que j'interviens.

— J'ai encore des divisions. Des à deux chiffres.

Là, il proteste nettement, c'est pas du tout la soirée comme il l'imaginait.

— Pourquoi tu ne les as pas faites plus tôt ?

— Parce que je ne comprends pas bien, il faut que tu m'expliques.

Alors là, c'est le martyr, le martyr total comme dans le livre d'histoire de l'école avec les bonnes femmes ligotées qui voient arriver les tigres féroces, pendant que ces salauds de Romains rigolent comme des fous sur leurs grands escaliers.

Il replie son journal comme s'il pesait 200 kilos, et il a un soupir formidable qui fait bouger les rideaux.

— Bon, eh bien, allez, travaillons.

124 divisé par 28. Je lui montre l'opération.

Silence mortel. On se regarde.

— Et alors, qu'est-ce qui te gêne là-dedans ? Il n'y a rien de plus facile.

Resilence mortel.

Il se penche calmement sur le papier, mais je sens que ça ne va pas durer. Il tapote son crayon sur son index.

— A partir de quel moment tu ne comprends plus ?

— A partir du début.

J'ai pigé que ce n'était pas la peine de feindre. Attention, il explique. Je me concentre.

— En 12 combien de fois 2 ?

— 6.

— Très bien.

Ouf, déjà une bonne chose de faite, mais ça n'a pas l'air terminé.

— Très bien, mais là, ça ne fait pas 6 parce qu'il y a un 8 derrière le 2. Tu comprends ?

Je rajoute deux plumes à Géronimo.

— Pas très bien.

— Bon, on recommence : 124 divisé par 28 ; regarde bien comme je fais.

Je sais plus à quel moment il a commencé à se tromper, mais ça a dû commencer assez vite ; il s'est pas vraiment trompé d'ailleurs, juste embrouillé, et je lui ai expliqué que c'était pas ça, juste pour l'aider, pour lui montrer comment il fallait faire, mais alors là, ça a été du délire.

— Puisque tu sais la faire tout seul ta division, puisque tu es si fort que ça, pourquoi me le demandes-tu !

J'ai voulu expliquer, mais c'était plus possible, alors ça m'a fait la boule dans la gorge et il y a une goutte qui est tombée juste sur 124 ; ça a rendu le chiffre plus gros, un peu ondoyant, comme si on le voyait à travers une loupe minuscule un peu bombée. Peut-être que c'est vrai au fond que je serai balayeur si je ne comprends pas les divisions et l'orthographe.

Et alors là, il a été à genoux à côté de ma chaise comme chaque fois que je pleure, et il a farfouillé dans toutes ses poches avant de trouver un Kleenex pour m'essuyer, parce que je m'étais mis du stylo à bille sur les joues, et qu'avec les larmes, ça avait tout délayé, et il a dit :

— Je crie parce que je suis fatigué.

Quand il a cet air de malheur, ça me donne encore plus envie de pleurer, mais il a ajouté :

— On fait un petit match, et on reprend, O.K. ?

Ça m'a fait drôlement plaisir, et j'ai sauté directement de ma table de travail sur le ring du Madison Square Garden.

400 000 spectateurs, et en plus, c'est filmé en Mondovision.

Championnat du monde professionnel entre Franck Lanier, tenant du titre, et Laurent (c'est moi).

Avant que les projecteurs s'allument et qu'il y ait les applaudissements et tout ça, il faut pousser la télé contre le mur, parce que un coup mal parti est vite donné, et crac, terminé pour la piste aux étoiles. Il faut aussi mettre les deux poufs en diagonale. Le tapis, c'est le ring.

On a fait un combat terrible la dernière fois : c'était bien, sauf qu'il triche : c'est lui qui fait le gong, alors forcément quand il gagne, qu'il attaque, que j'en prends dans tous les sens, alors là, il fait pas « dong ». Alors que si c'est moi qui domine, tout de suite il dit « dong », alors ça, ça ne va pas. Parfois, le round dure pas dix secondes, et d'autres fois, c'est des heures. Alors, je lui dis, mais lui, toujours étonné : « Ah tu crois que c'est trop court ? » Tu parles... Et évidemment, il ne veut pas que ce soit moi qui fasse « dong ». Il doit penser que pour faire « dong », il faut avoir fait des études, et que c'est seulement les monteurs de cinéma qui y arrivent, et qu'à mon âge, c'est trop difficile. Pauvre mec va.

Ça y est, il monte sur le ring, alors là, je le regarderais des heures : il sautille sur place, il tourne en levant les bras et, avec la bouche, il fait la foule, le speaker, les bruits, tout... Il est terrible comme mime ; il enjambe les cordes et, des fois, il fait semblant d'avoir un pied qui reste accroché pour que ça fasse plus vrai.

A moi.

Je m'y crois tellement que j'ai le trac avant d'entrer sous les projecteurs ; surtout quand il m'annonce, les mains en porte-voix :

— Et voici Laurent Lanier, le challenger, 29 kg 750.

Un long bravo monte, les soigneurs m'entourent, me lacent les gants, me mettent un truc devant les dents pour pas qu'elles cassent. Ça va être le grand match.

— Combat en dix reprises de trois minutes pour le championnat du monde.

Tchac, tchac, esquive du corps, feinte de balayeur et crochet du gauche. J'adore ça. Une fois, à la sortie du corps à corps, j'ai pas fait attention, j'étais énervé ou je sais pas quoi, et crac, je lui balance un coup foudroyant en plein foie.

Il avait les yeux qui lui sortaient de la tête, le gars Franck ; il trouvait plus ses mots. J'ai eu un peu les jetons quand même, parce que je connais pas ma force par moments, 28 kilos, c'est pas lourd, mais je n'ai que du muscle pratiquement. Donc, ce jour-là, il a pas eu le temps de faire *dong*. *Tchac* dans le buffet. J'ai gagné par K.O. évidemment parce qu'il n'a pas voulu reprendre. Il s'est laissé compter et, après, il s'est envoyé un grand coup de Ricard pour se noyer la douleur.

Ce que je lui reproche, c'est de trop fumer, alors évidemment, il s'essouffle et, quand il est essoufflé, il fait *dong, dong* sans arrêt. Et puis, il boxe à genoux, alors évidemment, il a de la peine à tourner, et là je le coince à tous les coups avec mon jeu de jambes super-rapide ; mais je lui dis toujours : manque de résistance.

Attention, ça démarre.

— *Dong !*

Premier round. Je tourne et je l'observe. Je suis prudent comme un serpent. C'est comme ça que j'ai eu le Durand du cours élémentaire. Il fonçait, le gonze, moi j'observais et, au début, j'ai pris des châtaignes, mais quand j'ai eu bien étudié son style, oh dis donc, alors là les mecs, c'était le festival de Cannes.

Il feinte à gauche, direct mou du droit. Bloqué. Je balance un uppercut et je fonce, la salle est debout « Lau-rent ! Lau-rent ! ». Je le coince dans les cordes, entre la bibliothèque et le canapé.

C'est le corps à corps acharné, sa droite n'arrive jamais à me toucher, je sais bien qu'il veut pas qu'elle arrive, mais ça me surprend quand même toujours. J'accélère et je sens que...

— *Dong !*

— C'était pas encore !

Il se relève et souffle par la bouche.

— Si, trois minutes exactement, va dans ton coin.

Retour des soigneurs, l'éponge, les serviettes. Ce qui m'ennuie, c'est de pas avoir un seau pour cracher. J'ai pas pris trop de coups sur mes fragiles arcades pour le moment. J'avais vu un film sur la boxe ; y avait un boxeur et ses arcades s'ouvraient toujours et ça lui coulait sur l'œil, c'était dégueulasse, j'en ai rêvé au moins cent fois, peut-être mille.

Deuxième reprise.

Il attaque, le salaud, je tourne autour et lui tourne sur place, il me bloque un bras, gauche, droite, il veut gagner ! Il le mérite pas mais je vais lui faire plaisir.

Je tombe.

Le Madison Square Garden et tous les mecs devant leur télé retiennent leur souffle. Est-ce la fin d'un boxeur de génie ?

Papa s'est dressé et compte :

— 6... 7... 8... 9...

Un bond et je repars, le match est acharné, la fin est proche, c'est comme à Marignan 1515.

— *Dong !*

Là, j'ai perdu le round, c'est sûr, mais c'est pas fini.

J'attendais *dong,* et c'est *driiing,* le téléphone. Ça, c'est le plus terrible, on fait un match de dingue, on se défonce et tout, et, en pleine bataille, au milieu d'un round, crac, on appelle un boxeur au téléphone. Ça me fout tout par terre, après, j'ai du mal à continuer à imaginer.

Je l'entends qui parle dans l'autre pièce. C'est Jeanine évidemment. Sympa comme fille mais alors, elle a le coup pour téléphoner quand il faut pas.

Je crois que c'est sa poule.

Elle joue pas mal au ballon et puis, elle chicane pas sur les esquimaux pendant l'entracte ; chaque fois qu'elle m'a emmené au cinéma, j'ai eu droit à mon vanille-café gros module, de ceux qui ont des amandes autour.

Je la trouve pas belle belle personnellement. Ce n'est pas le genre de fille qui sera ma poule, mais de toute façon, je n'aurai pas de poule, je serai gangster.

Au début, c'était longtemps après que maman soit partie, il se cachait de moi. Il achetait des chemises avec des couleurs de plus en plus puissantes, et il disait qu'il allait au labo ou au montage, comme si les gars de la télé, ils bossaient la nuit... Il croyait que je le croyais...

Des fois, il est bête.

Je savais bien qu'il sortait avec Jeanine et, à la fin, c'est moi qui lui ai dit :

— Tu la vois toujours Jeanine ?

Alors là, c'était fameux ! Qu'est-ce qu'il a pu se tortiller avant de répondre.

— Si, mais non, enfin oui, pas souvent, mais quand même...

J'avais honte pour lui !

Je vois pas pourquoi il me le dit pas puisque, de toute façon, sa femme est partie, alors il a bien le droit d'en prendre une autre. C'est dans la loi ça, on peut pas en avoir deux en même temps, mais là ce n'est pas gênant. Enfin bon, il est comme ça, c'est son côté cachottier.

Dans un sens, moi non plus je ne lui dis pas tout... En particulier le coup qu'on prépare avec Gilles, je ne lui en ai pas parlé évidemment. Et puis c'est pas la peine de lui faire du souci.

Il en a eu beaucoup avec moi, surtout à un moment quand j'avais les cauchemars. C'est drôle parce que, personnellement, je m'en foutais qu'elle soit partie, mais j'en rêvais quand même toutes les nuits, ça me réveillait et même l'hiver, j'avais la sueur qui coulait sous mon pyjama. Ça s'est passé, et il est plus tranquille maintenant.

Qu'est-ce qu'ils foutent avec leur téléphone, on ne va pas le finir ce match...

Le revoilà. Tout en pleine forme, il rit jusque dans le fond de la gorge.

— Allez, p'tit gars, viens prendre ta raclée.
Dong !

Je l'ai eu quand même, les doigts dans le nez, après une belle série enthousiasmante, les journalistes ont fait plein de photos de moi, le bras levé, et j'ai reçu mon titre de nouveau champion, dans l'allégresse générale. Après, on a mangé des radis et le restant des pâtes de la veille, c'est moi qui les ai fait chauffer, et c'est lui qui a mis la table.

Dehors, il faisait beau comme en été, mais les arbres n'avaient presque pas de feuilles encore, ça voulait dire que les vacances étaient encore loin, et qu'on allait se farcir la mère Carpentier encore un bout de temps avec ses dictées vaseuses.

Il faisait presque nuit mais on n'a pas éclairé, papa ne devait pas en avoir envie et moi non plus ; on était bien dans tout ce sombre qui venait de la fenêtre. J'ai dû tâtonner pour trouver le camembert et j'ai failli renverser un verre.

Il s'est illuminé le visage avec l'allumette comme si c'était une explosion et puis après, ça a été plus sombre encore, malgré le bout rouge de la cigarette. Alors, (ça me fait ça souvent), je suis devenu rêveur.

J'aime bien, il y a des tas de choses qui passent : des cow-boys, des couleurs, des musiques, Franck et moi à Bangkok au milieu des éléphants, et puis bien sûr, notre projet avec Gilles, et c'est pour ça que j'ai demandé :

— Papa, qu'est-ce que tu penses du tiercé ?

Malgré la nuit presque complète, je l'ai vu sursauter. Il sursaute souvent quand je lui pose une question. Il faut lui rendre une justice : il répond, pas toujours bien, mais il répond, il n'y a pas à se plaindre.

— Je trouve ça un peu idiot...

Je sens sa voix hésiter, et il continue :

— ... Des gens se ruinent avec...

Je réfléchis.

— Tu ne les plains pas s'ils perdent leur argent ?

— Ben... non, pas trop... Même pas du tout.

Je soupire de satisfaction. Voilà exactement ce que je voulais savoir. Très important pour moi. Ça ne veut pas dire qu'il me félicitera obligatoirement si on réussit notre coup, mais c'est déjà quelque chose de savoir qu'il n'est pas pour le tiercé.

Il doit se demander pourquoi je lui ai demandé ça. Quand je lui pose des questions, et qu'il voit pas la raison, il dit « mystère de l'âme enfantine » ; il m'a déjà fait ce coup-là plusieurs fois.

Ce soir, il ne dit rien, il est fatigué : la dictée, les divisions, un combat de boxe, c'est beaucoup pour lui, il est moins jeune que moi.

— On va se coucher ?

Je sais qu'il me sourit dans le noir et, soudain, je sens que je quitte la terre, que je monte vers le plafond, et quand il me fait redescendre, son visage penché vers le mien me cache les premières étoiles derrière les vitres.

GERONIMO DE MER DU NORD

Un dimanche matin qui commence par un curage d'oreilles, ça me sape le moral pour le mois à venir.

— Mais ne te tortille donc pas comme ça, ça ne te fait pas mal quand même !

— Ça chatouille.

Je me demande si j'emporte mon colt-frontier plastique. S'il s'aperçoit que j'ai glissé une dizaine de petites autos entre les chaussettes et le pull-over, il est fichu de me faire défaire ma valise.

Grand jour, grand départ, on va à la campagne chez Mémé, et Jeanine vient avec nous.

— Alors, tu es prêt, môme ?

Je me retourne et m'arrête, extasié. On peut dire qu'il a mis le paquet, le petit père : tout en jean avec la chemise à palmiers, on dirait Paul Newman.

— Comment me trouves-tu ?

J'avale ma salive.

— Super. Tu devrais faire poser des clous sur le dos de ton blouson. Je peux mettre mon tee-shirt *Wisconsin University* ?

— Oui, mais dépêche-toi, elle doit attendre.

Je finis de m'habiller dans l'ascenseur et jaillis à 200 à l'heure sur le trottoir. Il fait beau, elle est là, au volant de sa Fiat. Un peu pourrie comme bagnole mais ça roule.

Là, je me marre parce que, quand je suis là, ils sont tout glacés, ils ne se disent même pas bonjour, ils font les polis mondains.

— Vous vous faites pas la bise ?

Papa sursaute encore, ça va devenir un tic chez lui. Jeanine se marre.

— Non, dit Franck, pourquoi dis-tu ça ?

Je m'étale sur le siège arrière. Il fait déjà chaud dans son tas de ferraille.

— Et quand je suis pas là, vous vous faites bien la bise ?

Ils rigolent tous les deux, c'est bien la preuve que j'ai vu juste. Au fond, ils sont pas francs avec moi.

Elle est pas mal comme fille, si on est indulgent ; je lui vois la moitié de la tête dans le rétro : ce qu'il y a, c'est qu'elle a le nez un peu pointu et qu'elle est quand même un peu grosse, ça fait contraste, et puis à mon avis, elle a tort de s'habiller en marin breton, mais à part ça, ça va.

C'est bouché à l'embranchement du périphérique, c'est la ruée sur la verdure qui a commencé, on va pas rire parce que cette Fiat a un défaut : elle emmagasine la chaleur, comme une marmite norvégienne.

— Vous voulez que je vous dise une charade ?

Jeanine se tourne vers moi, ça, c'est terriblement

dangereux quand on conduit. Ses dents sont belles, on peut pas lui enlever ça.

— Vas-y, dit-elle, je suis très forte, je les trouve toujours.

— Mon premier est un prénom, mon deuxième est un nom, mon tout est un acteur de cinéma. Qui est-ce ?

— Jean Marais, dit-elle.

— Non, dis-je. Humphrey Bogart.

Elle rit et se retourne encore.

— Tu en as beaucoup comme ça ?

— Un milliard, au moins.

Papa ne dit rien mais il s'amuse ; quand il a cette tête-là, je sais qu'il est content et moi aussi. Il allume une gauloise et la met entre les lèvres de Jeanine, et ça, ça montre bien que c'est sa poule parce que sinon, quand c'est pas sa poule, on le fait pas parce que c'est un peu comme quand on s'embrasse. C'est une preuve.

Ce qui est bien dans cette chignole, c'est que les glaces descendent seules, mais pour la chaleur, c'est imbattable. Il y a aussi autre chose qui me tracasse : j'ai oublié en partant.

D'habitude, j'oublie jamais mais Franck était tellement pressé que j'ai pas fait.

— Papa.

Il se retourne et me demande des yeux. Je suis un peu embêté par rapport à Jeanine parce que ça fait tarte de dire qu'on a envie de pisser, mais d'un autre côté, si je ne veux pas lui arroser sa moquette, j'ai intérêt à ce qu'ils s'arrêtent.

— J'ai pas pensé à faire avant de partir.

Il sourit et regarde Jeanine.

— On s'offre un petit café ?

Elle accepte et je suis ravi parce que ça, c'est de la délicatesse, et ça, j'apprécie ; Franck, c'est pas un de ces types qui disent : « Arrête-toi, le gosse veut pisser », pas du tout, c'est pas du tout son genre, il dit : « On s'offre un petit café ? », et tout le monde sait bien que c'est pour ma pissette, mais c'est vachement délicat comme attention.

C'est bien d'être avec des gens délicats et qu'il y ait du soleil et qu'on aille à la campagne et YOUPI ! La vie est belle et tout et tout et quand est-ce qu'on s'arrête ?

Le bar-tabac est sympa avec des papiers tue-mouches pleins de mouches et des toiles cirées à carreaux qui collent à la paume des mains.

J'ai cru que je m'arrêterais jamais et quand je suis revenu, tout rezipé à neuf, j'ai pris un Pschitt orange bien tassé.

Par la porte vitrée, on voit le ciel bleu et des salades vertes.

— C'est vraiment l'été, dit Jeanine, j'aurais dû prendre un maillot de bain.

— Ça, c'est une drôle d'idée.

— Pour aller où ?

— A la mer, bien sûr.

D'un coup, il n'a plus fait beau, quelqu'un a dû appuyer sur l'interrupteur et c'est devenu gris.

— Je croyais qu'on allait chez Mémé...

Ce qui m'énerve le plus, c'est que ma voix saute, que je retrouve ma voix d'école maternelle, et papa a l'air un peu comme le jour où maman est partie, bouleversé...

— Toi, tu vas chez Mémé, on te dépose...

Il fume sa gauloise à toute vitesse, je la vois diminuer, et à chaque fois, il secoue la cendre.

— Et nous on continue parce que... enfin, on avait projeté ça depuis longtemps, et on pensait que tu préférais voir les lapins, ta grand-mère...

Bref il bafouille.

— ...et puis, j'ai dit à ta mère que je t'emmenais chez Mémé, sinon elle n'aurait pas voulu te laisser partir avec moi.

C'est vrai que le dimanche, je le passe avec elle et son Américain. C'est comme ça qu'ils se sont arrangés avant qu'ils divorcent. C'est sûr que si elle sait qu'il m'emmène à la mer, elle va faire un foin terrible avec 100 000 gendarmes pour nous poursuivre.

Je croyais qu'il allait rester avec moi tout le dimanche et tout le lundi férié, et puis il se tire avec sa nénette Jeanine. C'est normal au fond, ils vont courir sur la plage tous les deux, en se faisant des bises comme dans les films ou sur les couvertures des livres, et moi qu'est-ce que je ferais là-dedans ? Des pâtés de sable ?

Non, je vais les gêner, alors c'est pas la peine, et puis à la campagne, il y a les lapins et je peux courir tant que je veux et regarder la télé et plein d'autres trucs, alors, au fond, je n'ai pas à me plaindre.

— Ne pleure pas, dit Franck.

— Je pleure pas.

Je me suis levé parce que j'aime pas qu'on me voie et je me suis installé sur la banquette arrière. J'avais deux taches mouillées sur mon *Wisconsin University*. Je n'en ai rien à foutre qu'ils aillent à la mer, je suis encore mieux chez Mémé.

On roule vite.

C'est lui qui a pris le volant et je vois qu'il me regarde souvent dans le rétro. Le soleil est tout haut maintenant. Il chauffe le sable de leur plage.

— Tu n'as pas une autre charade ? demande Jeanine.

Gonflée cette fille : elle me laisse tomber chez ma grand-mère, elle se tire avec Franck, et en plus elle voudrait que je la fasse rigoler !

— Non.

Mon non a claqué sec. Quand je veux, je peux être drôlement dur.

— Je croyais que t'en avais un milliard.

Je réponds même pas. Pas la peine d'user de la salive avec des gens comme ça. Franck se retourne.

— T'aimes la mer ?

Ça me fait un choc, et peut-être qu'à ce moment-là, j'ai déjà compris.

— Oui, pas mal.

— Ça tombe bien, dit Franck, on y va.

On dit plus rien, mais dans la Fiat pourrie, c'est pas le même silence que tout à l'heure, c'est plus léger et je me rends compte que ce n'est pas la même route que l'on prend quand on va chez grand-mère.

— Mais pour Mémé, elle va m'attendre ?

Franck passe la quatrième.

— J'ai téléphoné du café, dit-il, je lui ai promis que tu viendrais avant les vacances.

Tout est arrangé. Mes lèvres remontent toutes seules. Je regarde Jeanine.

— Mon premier est le chiffre un, mon deuxième est frais, mon troisième est beau, mon quatrième

26

est une gare, mon tout est un acteur de cinéma, qui est-ce ?

— Jean Marais, dit papa.

— Humphrey Bogart. T'as pas compris : un, frais, beau, gare.

Jeanine s'esclaffe comme une bossue. Sympa la fille.

— On pourra se baigner ? dis-je.

— Ça m'étonnerait, dit Jeanine, ça doit être beaucoup trop froid, mais on jouera sur la plage.

— Au ballon ?

— Si tu veux.

Alors là, si vous connaissez un type plus malin que moi, vous me le direz ; j'insinue :

— D'accord, mais j'ai pas de ballon.

— On va en acheter un, lance Franck, ce sera pour ton anniversaire.

Toujours radin évidemment, mais s'il croit m'avoir coincé, il se trompe un peu.

— Quel anniversaire, celui des dix, ou celui des onze ?

— Lequel tu préfères ?

— Celui des dix.

Tu parles que je préfère, j'ai dix ans et demi, alors, tant qu'à faire...

Jeanine baisse la glace et passe son visage par la portière en fermant les yeux pour que le soleil tape dessus. Ça c'est un truc de femmes, parce qu'elles aiment être bien bronzées, moi, ça m'est complètement égal.

Papa roule vite et c'est de plus en plus plat et large par ici, il n'y a rien qui gêne pour voir, et peut-être que là-bas, tout au bout, c'est la plage, et qu'on va arriver direct au ras des vagues, d'un coup, direct des Buttes-Chaumont jusqu'à la mer.

— C'est bientôt ?

Juste au même instant, j'ai vu la pancarte : dans 25 kilomètres, c'est la mer.

Hôtel de la Plage : fermé. Hôtel Moderne : fermé. Hôtel des Voyageurs : fermé.

Pas un chat sur la grande avenue, il y a juste du sable qui vole un peu et se tasse dans les caniveaux. Le Prisu est fermé aussi et l'inquiétude me monte. Je demande :

— Et la mer, tu crois que c'est ouvert ?

Il y a des maisons moches alignées avec des volets fermés, ce n'est ouvert qu'en août ce genre d'endroit, le reste du temps, c'est tout mort.

On tourne deux fois et crac, ça y est : on est devant.

Quand je descends et que je cours sur le parapet, ça fait une bourrasque terrible et ça scie les poumons, on ne peut plus parler qu'avec le coin de la bouche ; papa me poursuit avec mon pull-over et je n'entends pas ce qu'il me dit.

C'est complètement immense, jaune et gris avec des voiles de soleil partout, avec des gros trucs de béton plantés de travers dans le sable, mais très très loin. Il n'y a que du sable, de la mer et du soleil.

Je mets le pull-over quand même et je cours à 200 à l'heure, et ce qui est terrible, c'est qu'on peut aller partout, et je fais plein de zigzags dans tous les sens parce que je ne sais plus où aller.

— On cherche des coquillages ?

— Quoi ?

Ils cavalent eux aussi, on fait une course terrible que je gagne dans un fauteuil, et quand je m'écroule, je sens le sable qui file entre mes doigts en fine fine fine poussière et, vu de près, quand on met l'œil tout contre, c'est une avalanche énorme qui balaie toutes les maisons, toutes les villes, toutes les écoles de la terre.

Jeanine souffle comme un phoque, elle ne court pas mal pour une fille, mais c'est quand même un peu étriqué comme foulée.

Ça sent l'air, c'est large et fort, et ça brûle quand on respire, on sent que le vent vient de loin.

— Je vais vous dire une chose épouvantable, dit-elle, j'ai faim.

Je vois le profil de Franck éclairé par le soleil.

— Mange du sable, dit-il, il n'y a pas un restaurant ouvert à moins de 5 000 kilomètres.

J'ai pitié d'elle.

— On pourrait aller à la pêche, il doit y avoir des huîtres, des merlans, des trucs comme ça.

On a joué encore un peu à se jeter du sable, à rouler dans les dunes, à creuser, enfin à des tas de jeux, et puis on est partis à la recherche d'un restau, parce que c'est vrai qu'on crevait une dalle terrible ; la tartine beurrée, ça faisait un peu longtemps qu'elle avait disparu.

A un moment, on a rencontré un plouc, tout seul au coin d'un chemin, un plouc avec une casquette plate et un menton comme le coffre d'une Simca Chrysler. Je l'ai braqué avec mon Colt plastique, mais il a même pas bougé un cil. Il a parlé en disant toujours « oh ben ».

— Oh ben, c'est que tout est fermé en cette

saison, oh ben, c'est qu'à cette heure-ci, il n'y a plus rien d'ouvert, et oh ben ça m'étonnerait que ce soit ouvert aux Dunes, oh ben ça coûte rien d'aller voir bien sûr, oh ben ça pour bien manger on mange bien, oh ben ça c'est facile, on tourne deux fois à gauche et une fois à droite, oh ben de rien c'est la moindre des choses.

Je lui ai lâché une rafale de balles dès qu'on a été un peu loin et, finalement, c'était ouvert au restaurant des Dunes.

— Oh ben, je mangerais bien du pâté.

Papa et Jeanine ont ri ce qui m'a flatté, parce que j'aime bien faire rire et, après le pâté, j'ai mangé un bifteck grand comme la table avec des kilos de frites, le tout arrosé de Pschitt orange, ce qui est fameux ; j'ai dû défaire ma ceinture sous la table pour pas qu'elle craque.

C'est tout à la fin, quand j'ai fini ma glace que j'ai vu les chevaux par la fenêtre, et Jeanine les a remarqués comme moi.

— On peut monter dessus ?

Papa a fait une grimace énorme, il devait avoir des projets de sieste ou quelque chose comme ça, et c'est Jeanine qui a décidé.

— Je vais vous montrer, a-t-elle dit, c'est très facile.

C'est là que j'ai pensé que cette femme méritait d'être un homme.

— Jamais !

Ça, c'est catégorique ; quand Franck a ce ton-là,

c'est un peu dur de le faire changer d'avis. J'essaie quand même.

— Tu peux tenter le coup, tu n'as pas quatre-vingt-dix ans.

— C'est trop haut et il me regarde d'un sale œil.

— C'est facile à conduire, dis-je, c'est comme une bicyclette sauf qu'il n'y a pas de guidon et pas de roues...

— C'est ça, dit Franck, excellente comparaison. Et toi, lequel tu prends ?

Je lui montre un grand tout blanc, sympathique, et voilà Franck qui va devenir furieux.

— C'est un monstre, dit-il, tu ne pourras pas le retenir s'il démarre, il doit gagner tous les prix de l'Arc de Triomphe avec trente longueurs d'avance. Je t'interdis de...

Jeanine a déjà sellé le sien, c'est une vraie cavalière, cette fille, elle n'a fait que ça toute sa vie.

— Tu vas prendre le petit, dit-elle, celui avec la crinière chocolat.

Je ne le trouve pas tellement petit, il est tout beau et s'appelle Pistache : c'est indiqué à la craie au-dessus du box.

Et alors après, je peux dire une chose, c'est que c'est le beau moment de ma vie qui a commencé. Je dois dire que c'est dur à expliquer parce que, quand on est sur un cheval et le cheval sur la plage, rien du tout n'est pareil.

D'abord, on voit de plus haut, ça c'est sûr, mais ce n'est pas ça la différence, parce que du haut d'une échelle aussi on voit plus haut, tandis que là, ça bouge. C'est ça l'important ; on remue du haut du corps comme dans les films, et moi, dès que j'ai été là-dessus avec les rênes dans les mains, je me suis tout de suite trouvé en Arizona.

Jeanine est partie devant et Franck, je l'ai vu quand je me suis retourné, était comme un chat sur un mur, il n'osait même pas éternuer.

C'est facile à conduire, vraiment comme un vélo : quand on tire d'un côté, ça tourne, c'est formidable.

On déboule sur la plage et, tout de suite, je les ai vus derrière les dunes avec les plumes qui pointaient, et voilà la chevauchée fantastique !

— Attends, Laurent ! crie Jeanine.

Je sais comme on fait, c'est une question de talons, et en plus on fait Clac Clac avec la langue, et là c'est le délire, le délire faramineux.

Le sable se déroule sous moi, ta ga dam, ta ga dam, je bondis, je retombe, je bondis, je retombe, la mer fonce vers moi, et c'est le bruit que j'aime, comme des coups de marteau dans le sable, ta ga dam, ta ga dam. Comme un con, j'ai oublié mon colt. Fonce Trinita, fonce, mes fesses dérouillent mais je suis Gary Cooper.

Ta ga dam, ta ga dam, voilà les Daltons, les villas défilent sur la gauche, je suis la foudre de la prairie, les flèches sifflent. Ouaïe, blessé. Couché sur l'encolure, Trinita échappera-t-il aux Cherokees déchaînés et hurlants ? Pas sûr, car il perd son sang à verse, Géronimo le talonne de près le salopard, la main du redoutable chef indien saisit les rênes de Pistache, le cheval de l'Invincible Cavalier et tire dessus, et le voilà qui s'arrête, et quand je lève les yeux, Jeanine est là et les Peaux-Rouges se sont repliés dans les collines.

Ses joues sont rouges et je sens que le vent me coupe de tous ses couteaux.

— Alors, dit-elle, tu ne pouvais plus t'arrêter ?

— Impossible, Géronimo était après moi.

Elle caresse l'encolure de son cheval à elle, un peu plus grand que le mien, mais pas des masses, et je fais pareil.

Je suis content. C'est quand même autre chose que les lapins et cavaler dans la luzerne.

Elle me désigne quelque chose sur la plage.

— Regarde, dit-elle, voilà John Wayne.

J'ai jamais tant ri ; il ressemble à Louis XIV dans la cour du château de Versailles, coulé dans le bronze.

Sa jument ne veut pas bouger, elle a les sabots collés dans le sable. Je sais que c'est une jument parce qu'elle est enceinte (je connais très bien toutes ces questions) et on dirait qu'il est assis sur un tonneau.

— On va l'aider, dit Jeanine, mais ne laisse pas ta monture partir, on va au pas maintenant.

— On ne refait pas une autre petite course ?

— Non, c'est un petit cheval, si on le fait trop courir, ça le rend malade.

J'aime bien cette fille parce qu'elle m'explique, et puis elle s'y connaît en canasson. J'aurais quand même bien aimé faire un galop.

On revient vers le père Franck qui stationne toujours.

— J'avais demandé un cheval calme, lance-t-il, ils ne m'ont pas menti.

On est rentrés doucement en longeant la mer, et les sabots ont fait des trous qui se remplissaient d'eau presque aussitôt... C'était comme dans un rêve ça aussi, on était comme les derniers survivants de la tribu, les deux guerriers et la squaw, et on fuyait les troupes à Custer. C'était beau, j'aurais aimé me voir moi-même, comme dans les westerns quand on aperçoit de loin les cavaliers sur une crête et qu'ils sont tout noirs parce que le soleil est derrière. C'est dommage qu'on ne puisse pas se voir passer, ce serait formidable d'être en même temps sur son cheval et en train de se regarder. On serait plus heureux, il me semble.

Avant de quitter la plage, je me suis retourné sur ma selle comme les gauchos, et il y avait toute cette étendue et la mer et mon cheval et Franck, et j'ai pensé que cela faisait deux heures au moins que j'avais tout oublié : l'histoire à maman et l'école et Gilles et le coup qu'on prépare et les vacances à Bangkok et tout ça. La mer, c'est quand on est heureux.

— On reviendra ?

Franck m'a regardé. Son étrier touchait le mien, les crinières de nos chevaux se balançaient ensemble.

— Oui, dit-il, on reviendra.

En arrivant vers le ranch, Pistache a pris un peu de retard, je me suis trouvé isolé et j'ai pensé que *I am a poor lonesome cowboy.*

LA NUIT DE FRANKENSTEIN

Et après, ça a passé vite. L'année, c'est dur à monter, mais quand on est arrivé à grimper jusqu'à Pâques, après il n'y a plus qu'à se laisser glisser comme sur le toboggan, ça va à toute allure.

Ce qui m'embête, c'est qu'avant, j'aimais les dimanches, mais maintenant c'est la barbe parce qu'il faut que j'aille chez eux. L'Américain est gentil, c'est un peintre, et je peux dessiner ce que je veux, mais c'est la barbe quand même, et je ne sais pas quand je pourrai retourner à la mer si ça continue comme ça. Papa a encore parlé de Bangkok au téléphone et j'ai regardé sur le dictionnaire ; c'est dur à trouver et j'ai fini par dégotter ça sur la carte dans un coin à droite. A mon avis, c'est moche, mais faudra que je me renseigne plus.

A la récré, Florence m'a prêté un bath de livre. Un Frankenstein. Avec des têtes terribles. Elle a fait la généreuse mais j'ai bien compris que, rien que de voir la couverture, ça lui foutait la pétoche. Moi j'ai tout regardé et je suis resté impassible. Franck dort déjà et moi aussi.

OUAAAAAAAAAAH !

Je saute, parallèle au matelas, je retombe en pédalant à vide, le cœur à 3 000 tours/minute. Franck est déjà là et tremble autant que moi.

— Qu'est-ce que tu as ? C'est un cauchemar ?

Tu parles que c'est un cauchemar ! Il éclaire et je me vois dans la petite glace, tout blanc comme une feuille de cahier.

— Tu as refait le rêve que tu faisais avant ?

— Non, c'est pas pareil...

Je vois à la montre de son poignet qu'il est minuit et quart. Il a les yeux qui retombent.

— Qu'est-ce que c'était comme rêve ?

— Rien... rien.

Je vais pas lui raconter. Pas si bête. Il insiste pas parce qu'il tombe de sommeil, il a la voix toute pâle.

— Tu vas te rendormir. Tu veux que je te laisse la lumière ?

D'accord pour la lumière. Elle ne change pas grand-chose la lumière d'ailleurs parce que, dès que je baisse les paupières, c'est automatique, il y a Frankenstein qui sort d'en dessous du lit.

Je sais bien qu'il n'y a pas la place, mais il en sort quand même, ce qui fait que c'est encore plus effrayant.

Franck a dû se rendormir à présent. Tout le monde dort dans le monde entier, sauf moi.

— Papa...

Alors là, on peut dire que je chevrote, mais c'est

efficace quand même, parce que dès qu'il m'a entendu, le Frankenstein s'est carapaté.

Revoilà Franck, pas plus en forme que tout à l'heure. Il s'assied sur mon lit et tente de garder les yeux ouverts.

— Qu'est-ce que tu as encore ?

Je me lance :

— C'est Frankenstein, dis-je, dès que je ferme les yeux, il sort de dessous le lit.

Là, il se réveille complètement et se penche.

— Il n'y a personne, dit-il.

Ça a l'air de le rassurer un peu de le dire... Il regarde autour de lui comme quelqu'un qui n'est pas tellement tranquille.

— Qui est-ce qui t'a parlé de Frankenstein ?

— Personne ne m'en a parlé, dis-je, il est dans le salon.

Là, il se lève vivement et bombe le torse.

— Ah, ah... dans le salon ! Bon, eh bien j'y vais.

Il me regarde et je le regarde. Comme je trouve qu'il n'y va pas vite, j'ajoute :

— Il est sur l'étagère des livres.

— Ah, ah, redit-il.

Il ricane sans joie, éclaire toutes les lumières et sort en sifflotant d'un air dégagé.

Je l'entends qui cherche.

— Il n'y a personne, dit-il d'une voix forte.

Je me demande parfois s'il n'est pas bête. Il ne s'attendait tout de même pas à trouver un Frankenstein en vrai !

— Regarde bien, derrière le dictionnaire.

Il remue des papiers et le voilà qui entre avec le bouquin plein de photos. Il feuillette avec des yeux en soucoupe. Il regarde surtout le dessin où l'on voit un type qui a une tête comme un bifteck haché et qui dit AAAARCH dans une bulle, parce qu'il est poursuivi par une araignée poilue de deux mille tonnes. Ça a l'air de le fasciner.

— Bon Dieu de bon Dieu de bon Dieu, qui est-ce qui t'a donné ça ?

— C'est Florence.

Soupir. Ça a l'air de le décevoir. Il la connaît un peu et je crois qu'il est amoureux d'elle. Il doit être déçu qu'elle lise des trucs comme ça. Quand il m'attend à la sortie de l'école, je le vois bien qu'il la guette.

— Il a existé Frankenstein ?

Il hausse les épaules.

— Penses-tu ! Ce sont des histoires inventées...

Il fourre le magazine dans la poche de son pyjama. Je suis sûr qu'il veut le lire en entier et regarder tranquillement toutes les photos quand il sera seul.

— Tu crois que tu vas pouvoir t'endormir ?

— Ça m'étonnerait.

Il murmure « bon Dieu de bon Dieu de bon Dieu » et bat des ailes.

— Viens dormir avec moi, mais je te préviens : faudra se serrer.

Je suis déjà debout, mon oreiller sous le bras, et hop, me revoilà couché. Franck s'installe à côté de moi en grognant. Les poils de ses mollets me chatouillent les orteils. On se fait la bise, il éteint, et tout est noir comme au cinéma avant que le film commence.

Je vais essayer le coup des moutons.

Ça y est. Je les vois. Ils sont dans un pré très vert. Il y a une barrière, le premier saute, le deuxième, le troisième... J'entends même le bruit des clochettes qui tintent, accrochées à leur cou. Il en reste un, le dernier, et juste au moment où il va rejoindre les autres, qui c'est qui sort du petit bois avec ses grosses cicatrices sur le crâne et ses grosses vis dans les oreilles ?

— Papa...

Il s'assied d'un coup et je sens qu'il n'est pas heureux, heureux.

— Quoi, qu'est-ce qu'il y a ?

Je chuchote.

— Tu n'entends rien ?

Quand on écoute bien la nuit, quand tout est noir, il y a des frôlements partout, tout craque et il y a plein de mecs qui s'approchent sur la pointe des pieds. Il a dû entendre tout ça lui aussi, parce qu'il éclaire. Ça me fait plaisir pour deux raisons : je n'ai plus peur et ça prouve qu'il a aussi peur que moi.

— Bon ça va, dit-il, je n'ai pas l'impression qu'on va dormir cette nuit.

J'ai une idée géniale.

— On fait un poker ?

Il vieillit de dix ans d'un coup. Il n'aime pas tellement jouer avec moi parce qu'en général, je le plume.

— Va pour un poker.

Je bats les cartes, assis en tailleur au pied du lit. Il s'est installé à l'autre bout.

— On joue des sous ?

Il fronce les sourcils. C'est qu'il sent le danger venir et, comme il est radin comme tout, il est pas enthousiaste.

— Tu en as ?

Bien sûr que j'en ai, j'ai les dix francs de Tata et

les quinze que je lui ai piqués dans la dernière partie qu'on a faite. Et puis j'ai le fric des timbres. Ça, c'est une combine terrible. C'est avec les camemberts. Il y a une marque de camembert où on trouve un timbre dans la boîte, et quand on a dix timbres, on a droit à un camembert, alors Gilles et moi, on va au supermarché, on soulève les couvercles, on enfonce un peu le doigt pour faire croire qu'on veut voir si c'est dur ou mou, on pique le timbre, on remet le camembert, on ressort et on va refiler les timbres à la voisine à Gilles qui nous donne des ronds. Une fois, on lui en a rapporté cinquante-sept. Elle est parée en camemberts pour un bout de temps, la voisine. C'est une femme formidable : elle mange toujours gratuit. Par exemple, elle entre dans un supermarché de l'avenue avec une tartine et un ouvre-boîtes, elle attend qu'il n'y ait pas trop de monde et elle s'ouvre une boîte de sardines qu'elle mange avec son pain ; quelquefois elle prend du crabe, et, pour le dessert, ça ne manque pas : un petit Gervais à la crèmerie, ou elle s'enfile une boîte de fruits au sirop. Quand elle a soif, elle s'envoie du cognac 3 étoiles au rayon liqueurs, toujours la même marque, celle qui a le bouchon qui se dévisse : c'est plus pratique. Elle ressort les mains dans les poches, elle dit que ça fait douze ans que ça dure et elle ajoute toujours : « Vivent les grandes surfaces ! »

— Alors tu rêves !

Je bats les cartes et distribue. J'ai un brelan d'entrée : le vrai coup de pot.

On joue un franc du point. Chaque fois qu'il allonge une pièce, on dirait qu'on lui arrache le foie.

Ce qu'il y a avec lui, c'est qu'il a vu trop de films

— forcément, c'est son métier — alors, il fait comme les acteurs, il plisse les joues, il roule des yeux, il secoue sa cigarette, il fait son cirque quoi, mais ça m'impressionne pas du tout du tout.

— Deux cartes.

J'en prends deux aussi parce qu'on sait jamais.

Crac, voilà la quatrième : un carré de valets. C'est là qu'il faut rester soucieux, faire semblant de réfléchir et tout ça. J'adore le poker.

Je monte petit. Il suit.

Je pense pas qu'il ait grand-chose. Il ferait semblant d'être plus catastrophé s'il avait beau jeu.

Ce que j'aime dans les cartes, c'est qu'on se sent un peu des gangsters quand on joue. Pas à la bataille bien sûr, c'est fini depuis longtemps, ça fait des années que je n'y joue plus à ce truc-là, mais au poker, c'est bien parce que je me prends tellement au jeu que j'ai l'impression d'avoir un revolver dans chaque poche.

— Et six pour voir.

Il abat ses cartes et me regarde avec son sourire du coin de la bouche ; une jolie petite quinte aux fines herbes. C'est là qu'il faut être sarcastique.

— Joli, dis je.

C'est tout, j'en rajoute pas plus, moins on parle et plus ça frappe : j'ai remarqué ça dans pas mal de films. Je montre mon carré, il dit merde, écrase son mégot et se frotte les mains à toute vitesse. Ce geste signifie qu'il veut prendre sa revanche. La partie commence.

Ça a été une belle nuit.

A deux heures du matin, on a eu soif et il s'est pris un whisky léger. Il dit toujours qu'il prend un whisky léger, jamais un whisky tout court. Je me suis siroté une orangeade et j'ai grossi ma cagnotte. Sept francs de mieux. Encore deux ou trois petits poks comme ça et je vais pouvoir me payer le 33 tours d'Elvis. J'adore le rétro.

Pour lui remonter le moral, je lui ai proposé une partie de dames, mais il m'a fait remarquer qu'il était tout de même un peu tard et qu'il éprouvait une légère envie de dormir.

C'est bien ce que je disais : il résiste pas.

On s'est recouchés, j'ai fermé les yeux, je les ai rouverts et il faisait grand jour, j'ai même pas eu le temps de me taper mon ovomaltine avant de partir pour l'école.

En tout cas, Frankenstein n'est plus revenu.

Je me demande où il a fourré le magazine. Faudra que je fasse des recherches. J'aimerais bien le relire.

LE GANG DU PRISU

Samedi matin.

J'arrive en bolide, un coup d'épaule et je balance mon carton sur le sofa. Il me regarde, ahuri.

— C'est déjà toi ?

— Oui, et maintenant vise.

Je me retourne, je me baisse et, de l'index, je lui montre mon derrière, là où ça s'est décousu. Une vraie catastrophe. C'est Karim qui a placé un boulet terrible au ras de la barre, je me suis détendu comme à la coupe du monde, et là, dans le mouvement, j'ai entendu que ça craquait.

— Tu les prends trop serrés, je te l'ai toujours dit, mais tu n'écoutes jamais...

Evidemment que je les prends serrés, c'est la mode. Je n'aime que les falzars étroits, à la rocker.

Il se fourrage dans les cheveux.

— Faut aller en acheter un, il y a pas de problèmes.

Bien sûr qu'il n'y a pas de problèmes, il ne sait pas plus coudre que moi. Ou alors, faudrait demander à Jeanine. Maman ne sait pas ce que c'est qu'une aiguille, et en plus, elle râlerait, alors c'est vraiment pas la peine.

Il enfile son blouson sport, celui qu'il avait dimanche.

— De toute façon, il faut aller faire les commissions, il n'y a plus rien dans le frigo. Je ne pensais pas qu'il était si tard.

Le supermarket est au bout de la rue, à cette heure-là, il ne doit pas y avoir grand monde. Avec la chance avec moi, je vais me faire offrir des bonbecs ou des malabars.

Peu de monde dans les allées, quelques mémés qui poussent des chariots métalliques : on en prend un, je grimpe dessus et je talonne en trottinette, ça fuse dans les virages, j'adore.

On remplit de spaghettis, de biftecks sous cellophane, une bouteille de Pschitt orange, quatre rouleaux de papier W.-C. rose bonbon et un liquide pour faire la vaisselle dans la joie.

— Les yaourts, va chercher les yaourts.

Voilà les yaourts. J'attrape le paquet, à la cosaque : grimpé sur le chariot qui roule dans la travée, on tend son bras, on se penche et hop, enlevé.

— Viens voir.

Je m'approche. Dans une corbeille-filet, c'est bourré de jeans en soldes. 100 % coton avec des surpiqûres et une petite poche sur le devant. Franck en sort un par une jambe et regarde l'étiquette.

— C'est marqué dix ans, dit-il, tu crois que ça te va ?

Je dis oui mais je n'en sais rien et c'est embêtant parce que s'ils sont trop larges, si ça fait des plis, je les mettrai pas.

— Ça ferme dans cinq minutes, dit Franck, il faut te décider. Essaie-les, il n'y a personne.

Alors ça, je déteste, je déteste totalement. Je peux affronter sans faiblir des tas de types qui me fonceraient dessus, mais l'idée de me trouver en petit slipard dans une allée d'une grande surface avec une satanée vendeuse qui peut surgir à chaque seconde, ça me hérisse tous les poils des jambes.

On en voit tout un groupe qui discute là-bas du côté du rayon des chaussures, elles ont l'air bien occupées.

— Allez, vas-y, dépêche-toi, personne ne te voit...

Il faudrait que je l'essaie, bien sûr, surtout qu'il est bath avec les boutons en cuivre. Seigneur, pourvu qu'il n'y ait pas une mémé qui se pointe avec son petit caddy.

— Tu te décides oui ou non ?

Il s'en fout lui, c'est pas lui qu'on va découvrir les cuisses à l'air dans un endroit où tout le monde est habillé, oh et puis zut !

Zip, une jambe, deux jambes ; vite, vite, la gauche d'abord, la droite, rezip. Ouf, sauvé !

— Fais-toi voir.

Je me tortille pour me rendre compte. Ça a l'air impeccable. La longueur y est et ça serre bien sur les fesses comme les gars des groupes pop.

Franck se met à genoux pour vérifier la longueur. Il fait très mère parfois.

— Ça ne te serre pas trop ?

— Impeccable.

— On prend ?

— On prend.

Il me file une claque dans le dos et voilà l'affaire faite. J'aime bien quand les affaires ne traînent pas.

Dans le magasin, il n'y a plus personne et la sonnerie retentit.

— Bon Dieu, dit Franck, on n'a pas pris de beurre. Cavale, n'importe quelle marque, je t'attends à la caisse.

Je fonce en direction de la crèmerie.

— Prends du sucre, crie-t-il, du numéro quatre.

Pendant que je reviens, il ajoute un sac de patates et un ananas dans le chariot ; et c'est à nous tout de suite, on met tout sur le tapis roulant.

La caissière tape de l'index sur sa machine et, de l'autre main, elle écarte dédaigneusement ce qu'on vient de choisir comme si elle trouvait tout ça dégueulasse. Elle s'arrête sur le papier W.-C. et hurle à sa copine à l'autre bout du magasin :

— Germaine, c'est combien le papier Vécé ?

L'autre grosse blonde rousse hurle encore plus fort :

— Du confortable ou de l'ordinaire ?

Alors je pique ma suée parce que je déteste ça, je sais pas pourquoi, mais je me tortille, tellement j'ai horreur qu'on sache que Franck et moi on ne se sert que du confortable, c'est presque pire que le coup de se déshabiller dans les allées. C'est la pudeur.

— Cinq francs soixante-quinze.

Bon sang, c'est cher le confort, mais il faut ce qu'il faut. Elle ajoute les cinq francs soixante-quinze et, avec un bruit d'usine, voilà le petit papier qui sort : quarante-deux francs quatre-vingt-dix. Evidemment Franck a oublié le filet et on se coltine tout sur les bras.

Nous voilà sur le trottoir et ça me vient d'un coup. Je m'arrête pile :

— Papa.

— Quoi ?

Bon sang, ce qui arrive est fantastique, comme dans les films. Pourvu qu'il lui vienne pas à l'idée de courir. Je lui fais deux clins d'œil à me craquer la paupière.

— Eh bien quoi ? parle, qu'est-ce qui t'arrive ?

Je chuchote.

— Mon pantalon.

Ses yeux se transforment en cercles.

— Merde, souffle-t-il, on ne l'a pas payé !

Ce qui m'embête le plus, c'est que j'ai encore les étiquettes qui me battent sur les fesses.

On a bien fait cinquante mètres mais on n'est pas sauvés. J'ai envie de me retourner mais il faut résister parce que c'est comme ça qu'on se fait piquer.

Je lui refais un autre coup d'œil.

— On court ?

Ça a l'air de l'amuser maintenant, il est tout excité.

— Attends qu'on ait passé le tournant, après, on fonce.

J'avance, dégagé, avec l'impression d'avoir trois cents gendarmes derrière moi avec leurs longs bâtons, leurs casques et leur grand grillage. Tous les deux en prison, ça fera du bruit dans le quartier, du coup la mère Carpentier, elle va me saquer.

Bon Dieu, ce qu'il est long ce tournant. C'est Gilles qui va être soufflé quand je vais lui raconter demain que j'ai cambriolé le Mono avec mon père. C'est un peu comme une préparation au coup qu'on va faire.

Voilà le tournant.

— Petit trot, dit Franck.

Je pars à fond de train avec mon ananas, mon quart de beurre et les papiers confortables.

La porte, l'ascenseur, mon cœur va se casser, le bouton, quatrième.

Pendant que papa met le verrou, je fonce à la fenêtre et regarde par le côté pour éviter les rafales de mitraillettes. La rue est vide, on ne nous a pas suivis : le crime paie.

Franck s'écroule sur le fauteuil.

— Bon Dieu, je ne sais pas ce qui m'a pris ! Tu te rends compte si on s'était fait arrêter ? Je vois les titres dans les canards : « Avec son fils (dix ans) il vole des jeans dans les grands magasins. » C'est ça qui aurait arrangé mes affaires pour le divorce ! Tu te vois au commissariat !

Il s'essuie le front, pépé. Il n'a pas de sang-froid, ce sont les nerfs qui craquent.

— Alors pourquoi tu n'es pas reparti payer ?

Il me regarde avec un air idiot.

— Eh bien, ça, justement, je n'en sais rien, je suppose que c'est l'attrait du danger ; en tout cas, je préfère te dire que si jamais, je te surprends...

Ça y est : le sermon. Pour ça, j'ai pas à me déplacer pour écouter le curé de l'église, j'ai tout à domicile. Ce qui est bien, c'est qu'en général, il se fatigue assez vite et qu'aujourd'hui, il ne se sent pas la conscience tellement tranquille. On ne peut pas dire qu'il donne l'exemple. Pour abréger le martyre, je propose :

— On s'offre un apéro ?

Ça c'est tous les samedis midi qu'on fait ça : il se tape un whisky (léger) et pendant ce temps, je bois mon Pschitt orange à petites gorgées comme si c'était de l'alcool à 90° très fort.

— D'accord.

J'admire mon nouveau falzar, vraiment terrible avec les coutures. Papa s'installe son verre à la main, et moi assis à côté de lui. Je pousse son coude avec le mien.

— On est des gangsters, hein ?

Il tire sur sa gitane, et la fumée monte en faisant des S.

— Les meilleurs, dit-il.

Je bois un coup léger de soda.

— Et encore, ce n'est rien, dis-je, tu vas voir dans trois semaines : comme Humphrey Bogart.

Cruyft file le long de la touche, feinte un adversaire, shoote dans la foulée sur l'avant-centre qui contrôle impec de la tête, reprend du pied gauche et marque.

Bon sang, ça c'est du foot. Ah la vache, ça c'est du foot, c'est du sacré foot.

— C'est du foot. Ça c'est du vrai foot !

— Ça va, dit Franck, on le sait que c'est du foot, arrête de bondir en l'air sans arrêt.

1 à 0 après 7 minutes de jeu ! Ça, c'est du foot pas pour de rire, c'est des artistes ces mecs. Je rigole doucement en plus parce que Franck, il est

pas jouasse du tout parce qu'il est pour les Brésiliens, lui. Il en est resté à Pelé. Il a une barbe et les pieds plats, Pelé, aujourd'hui.

— Alors, tu vois bien qu'ils sont pas les plus forts tes Brésiliens !

Il grommelle.

— Attends mon petit pote, attends, ce n'est pas fini.

Il admet jamais la défaite ce type. En plus, il n'y connaît rien en foot, il discute comme ça, mais la tactique, tous ces trucs-là, ça lui échappe complètement. Quand je vois un match moi, je me demande si, à la place d'être gangster, je ne serais pas ailier gauche. Ça gagne autant et là, en plus, il y a tout ce monde qui vous admire quand on fonce la balle au pied, qu'on drible des tas de mecs, tous dans le vent et plaoutch, un tir dingue dans la lucarne et tout le monde debout qui hurle en agitant des drapeaux « La-Nier ! La-Nier ! » et le speaker tout essoufflé : « Un but splendide de l'extraordinaire Lanier, un des meilleurs ailiers gauches du monde et patati et patata... » Et Franck qui applaudit tout ému, oui au fond, ce serait pas mal ailier gauche.

Attention, un Brésilien déborde, shoote, crac, dans les filets.

— Y est !

Franck hurle, tousse, s'étrangle. Je le regarde avec pitié s'exciter comme un malheureux.

— Il y avait hors jeu, dis-je, ne t'énerve pas.

Il se tape sur les cuisses, il jubile, ignoble.

— Parce qu'en plus, t'es plus fort que l'arbitre, jette-t-il, monsieur a vu un hors-jeu ! Me fais pas rire, tu veux, me fais pas rire.

Je ne dis rien, j'écoute.

« C'est un coup franc pour la Hollande qui va dégager son camp, l'ailier droit brésilien étant nettement hors-jeu sur cette action, et voici Paolo César... »

Franck s'écrase. S'il pouvait m'étrangler maintenant, il le ferait. Il dit des gros mots tout doucement mais je les entends quand même.

C'est un match formidable. Parfois, on fait des bons matchs dans la cour, un jour on a battu ceux du CM2 par 17 à 9, et je suis sûr que c'était beau à voir aussi, mais là, faut avouer que c'est du beau jeu, calculé et scientifique, même plus que nous. Dix-septième minute. Nieskans récupère, touche du pied, centre sur Cruyft qui se détend comme un élastique et, flaoutch un paquet du gauche en plein dans la cage : 2 à 0. J'en ai les larmes aux yeux de rire. Tout le stade est debout.

— Ridicules les Brésiliens.

— Ferme-la, dit Franck, je vais te briser les os si tu ne la fermes pas.

— Ils peuvent plus gagner, dis-je, les autres vont faire le verrou.

Il me dit qu'il sait ce que c'est, mais je lui explique quand même parce qu'il n'aime pas avouer son ignorance. Il a honte.

J'aime bien regarder le foot à la télé avec lui. On s'assied par terre avec des coussins et on est bien. Seulement, on n'est jamais d'accord. Il dit qu'il a joué quand il était jeune, à Saint-Ouen. Il a même une photo qu'il montre toujours où il est sur le côté avec un short long et une raie sur le crâne qui partage bien droit ses cheveux luisants ; on voit un mur de brique derrière et ça fait misérable, ça fait l'équipe qui perd toujours. Je lui dis pas pour lui éviter de la peine et que, si on le pousse un peu, il va dire qu'ils étaient les meilleurs du monde, mais ils ont l'air minable, et le goal est tout petit avec des oreilles décollées et une tête à ramasser des ballons dans ses buts pendant des siècles et des siècles.

Attention, Nieskans — encore lui — change de pied, feinte de corps, sprinte, shoote, but, Ouaaaaaais ! C'est la déroute brésilienne, ils ont l'air aussi battus que l'équipe de Saint-Ouen.

Franck s'est effondré, on dirait que je suis à côté de mon arrière-grand-père.

Il a un sursaut.

— C'est pas fini, dit-il, ils se sont fait cueillir à froid. Attends la réaction.

Je lui fais remarquer qu'au bout de quarante-trois minutes de jeu, ils devraient être chauds, mais c'est pas la peine de discuter avec quelqu'un de mauvaise foi.

Pendant la mi-temps, je goûte. C'est un réflexe chez moi, j'aime bien me taper mes quatre carrés de choc et ma banane pendant que les musiciens défilent sur le stade en jouant des airs idiots. Lui, il ne goûte pas mais il se ronge les ongles. Dure journée pour le père : piqueur de falzar le matin, le Brésil qui s'écroule l'après-midi, ça lui fait beaucoup à encaisser.

— Remarque, dis-je, ils perdent mais c'est quand même des assez bons joueurs.

Il rit et met ses doigts dans mes cheveux. Je lui ai remonté le moral.

MARLENE DES BUTTES

Papa est né à Belleville au temps où il y avait des géraniums sur les bords des fenêtres et quand les femmes arrosaient, cela faisait plein d'eau qui coulait le long des murs, et ça sentait bon comme tout.

C'est pour ça que depuis ce temps, il aime l'herbe, les fleurs et, bien sûr, les jardins puisque c'est là qu'on les trouve.

A partir d'avril, au moment des premiers soleils, quand il est pas coincé par son montage de films à la noix, il vient aux Buttes vers les quatre heures et demie, cinq heures moins le quart parce qu'il sait que j'y suis en train de jouer. Depuis l'histoire de maman, il vient encore plus souvent.

Il s'assoit sur un banc, il lit son journal, tout tranquille, avec les mémés à tricot et, vers six heures, on s'en va par le boulevard.

Il vient aussi pour voir Florence et, personnellement, je ne vois pas du tout ce qu'il lui trouve. Elle ressemble un peu à Marlène Dietrich en plus triste et en plus jeune, et elle sent le chocolat. Ce qui m'horripile, c'est qu'elle a toujours ses grandes socquettes et elle rapporte tout ce qu'on lui dit.

Au début, quand on a goupillé notre coup avec Gilles et Dédé, j'étais tellement excité que j'ai eu envie de dire à tout le monde qu'on allait faire un hold-up et tout ça. J'ai drôlement bien fait de la boucler parce qu'elle aurait cafté à tout le quartier, peut-être même au commissaire.

C'est pour ça que quand on joue, qu'est-ce qu'elle prend comme dérouillée ! On la torture terrible et on ne s'arrête que lorsqu'elle crie trop fort, ou qu'on sent les os qui craquent. Pourtant elle revient toujours jouer avec nous, peut-être qu'elle aime les coups. Il y a des femmes comme ça.

Aujourd'hui, on joue aux épées parce qu'il y a un feuilleton de mousquetaires en ce moment. En fait, on n'a pas d'épées mais on fait comme si, et on fait « tchac - tchac » avec la bouche pour le bruitage.

Dugoint, son frère du cours préparatoire, et l'Enflé défendent le château, et Gilles et moi, on l'attaque pour choper Florence comme otage.

J'ai le bras gauche traversé par la dague de Dugoint et le sang me pisse jusque dans les bottes.

L'éclair jaune et rouge qui file entre les arbres, c'est Gilles sur son Mustang. Je saute en selle, Pistache se cabre et tagadam, tagadam, à bride abattue à travers les allées ; je serre les rênes d'une main parce que l'autre est paralysée et que je souffre, et comme je tourne à l'angle, au ras du bac à sable, Franck m'attrape au vol par mon bras blessé.

— Tu as trop chaud avec ce pull-over !

Autre spécialité du personnage : m'arrêter au moment où je joue le mieux et me faire enlever un pull-over si j'en ai un ou en mettre un si je n'en ai pas. Ça, je n'ai jamais compris ! « Tu as chaud, enlève ton pull-over » ou « tu as chaud, mets ton pull-over sinon tu vas avoir froid ». Complètement dingue.

Je l'enlève et le noue à la taille avec les manches.

Pétard ! Les traîtres sont tous sur Gilles, là-haut sur la colline, il est perforé de coups. Mon coursier hennit et je cravache à fond, dérapant dans les graviers ; Franck en reste comme deux ronds de flan, mais je suis déjà loin.

L'Enflé m'a vu.

— 22 les mecs, v'là Lanier.

Tchac, tchac, avec un seul bras, je l'ouvre en deux et tous ses intestins qui se déroulent sur le gazon, et j'empoigne Florence et le frère Dugoint qui se cavale comme un trouillard, et Dugoint qui finit sa banane le plus vite possible, parce que sa mère veut pas qu'il joue en mangeant.

On est les vainqueurs et on emporte la mère Florence pour la torturer tranquille derrière un des bancs.

— Eh, mais vous allez lui faire mal !

Devinez qui vient d'intervenir ? J'aurais dû me rappeler qu'il était là. Du coup, il replie son journal.

— Alors Florence, ça marche l'école ?

Il m'écœure complètement quand il est comme ça, il est tout sucré. Elle, elle remonte ses socquettes évidemment, et ses cils font de l'ombre.

— Voui, monsieur.

Je m'assieds à côté d'eux sur le banc juste pour voir ce qu'il va être capable de lui raconter comme pauvretés.

Gilles est parti parce que sa mère l'appelle et qu'elle a roulé son tricotage. Près de moi, le flirt continue.

— Ta maîtresse est sympathique ?

— Elle est sévère, chantonne Florence.

Vraiment rien à ajouter lorsqu'on entend des choses pareilles. Je n'ai plus qu'à lire le journal, et personnellement, je déteste *Le Monde :* jamais une image, rien pour les enfants, et ça parle du produit national brut et je ne sais pas ce que c'est. Une fois pour voir, j'ai essayé de lire un article sur le produit national brut, j'ai failli devenir aveugle !

— Ma maîtresse est sévère mais celle de Laurent est plus gentille.

Voilà la meilleure. De quoi elle se mêle cette quille ? !! Qu'est-ce qu'elle en sait ? Je laisse échapper un ricanement comme dans les films américains en noir et blanc.

— C'est parce que tu l'as pas tous les jours sur le dos...

Elle ose protester.

— A la récréation, elle ne punit pas comme la mienne et...

— A la récré, peut-être, mais en classe, alors là dis donc, alors là dis donc...

— Peut-être, mais elle apprend bien.

Suffoqué. Je suis suffoqué.

— Comment tu sais qu'elle apprend bien ? Tu l'as jamais eue !!!

Et crac, essaie de répondre à ça ma grosse.

— Je le sais parce que c'est Tassard qui me l'a dit.

Et gna gna gna et gna gna gna, ne jamais se laisser embarquer dans une conversation avec des gens pareils. Je rétorque.

— Tassard, il fait cent fautes à la dictée tous les jours, il est dans le fond parce qu'il bavarde tout le temps, et en plus il est con.

Franck intervient.

— Tu devrais t'exprimer un tout petit peu plus correctement.

— Mais c'est vrai ça, comment il peut dire qu'elle apprend bien la maîtresse puisque lui, il apprend rien du tout ?

— Peut-être, dit Florence, mais elle apprend mieux que la mienne.

Je vais l'étrangler dans deux minutes mais je fais comme si j'étais calme.

— Comment tu le sais ?

— Je le sais.

Stupidité féminine. Franck détourne la conversation. Il ne peut pas supporter de voir sa chérie en difficulté. Ils bavardent et j'aurai le temps de lire tout son journal dans lequel il n'y a même pas de sports ; je balance mes jambes dans le vide.

Brusquement, elle attaque de nouveau.

— On a fini Jeanne d'Arc et vous n'êtes qu'aux châteaux-forts ?...

Une vraie espionne cette salope.

— Oui, mais on fait plus détaillé alors on va moins vite.

— Nous aussi on fait détaillé.

— Vous faites moins détaillé puisque vous êtes avant.

— On fait aussi détaillé mais on va plus vite.

— Merde !

— Ne hurle pas, Laurent, dit Franck.

— Elle me rend fou, dis-je, exprès pour m'embêter.

— O.K., dit Franck, on parle d'autre chose.

Il étend les bras comme le pape à la télé, et voilà la Marlène Dietrich qui rerereretire sur ses chaussettes maudites, et qui dit, mondaine :

— Où c'est que vous allez en vacances ? Moi je pars dans l'Yonne chez mon tonton.

Franck pianote sur son genou. Les vacances, c'est pas un sujet sur lequel il aime bien bavarder depuis quelque temps. Il tousse, il regarde en l'air et, finalement, c'est moi qui me décide :

— Je sais pas encore très bien où je vais.

— Stop, dit Franck, tu sais très bien où tu vas : en Ardèche avec ta mère.

Silence.

Quand le soleil baisse, cela fait de jolies couleurs dans les squares. Ce n'est pas tellement beau ce coin, il faut le reconnaître ; le grand rocher et la mare d'eau ; ce n'est pas le Niagara, mais le soir, en été, c'est comme un décor au théâtre avec des projecteurs. Florence est toute orange, et c'est partout pareil.

— Et vous, demande-t-elle, où est-ce que vous allez ?

Il regarde de plus en plus haut dans le ciel.

— Bangkok.

Elle lui fait répéter et elle ajoute :

— Où c'est ça ?

C'est moi qui réponds pour lui montrer qu'elle ne sait pas sa géographie.

— C'est l'Asie. C'est loin.

— Allez, dit Franck, on s'en va, ça va fermer.

Les bonnes femmes tout autour sont parties avec les marmailles. Le garde va siffler. C'est un vieux au nez rouge ; avec le soleil, ça lui fait comme un incendie sur la figure.

Quand je touche le portillon, le fer est encore chaud de tout le soleil de la journée. L'avenue descend et me fait rêver à des patins à roulettes. Il fait frais sous les arbres.

— Tu vas avoir chaud à Bangkok, il fait plus de 60 à l'ombre là-bas.

Chaque fois que je lui en parle, il grommelle.

La crâneuse monte chez elle et on rentre à la maison.

Je mets la table pendant qu'il fait chauffer l'eau pour les spaghettis. L'Ardèche, il peut faire une croix dessus. Pour le reste de mon projet, il faut de l'argent, et l'argent j'en aurai quand on aura fait le coup. Tout se tient.

Je suis pas mal organisé comme enfant.

Sa voix sort de la cuisine.

— Tu n'as pas l'air d'être très ami avec Florence ?

Je râpe le gruyère à cent à l'heure.

— Non. C'est pas comme toi.

Il arrive sur le pas de la porte, une casserole à la main.

— Qu'est-ce que ça veut dire « c'est pas comme toi » ?

Haussons les épaules.

— Au fait, dis-je, Jeanine ne vient plus. Vous êtes fâchés ?

— Pas du tout, mais elle est très prise... Les examens approchent.

Je me rappelle qu'elle est instit. Tiens, mais au fait, si elle est instit, elle a des vacances, et si elle a des vacances...

— Tu pars avec Jeanine à Bangkok ?

Explosion.

— Tu commences à m'énerver avec ce Bangkok. Tu ne peux pas comprendre que j'ai envie de me payer un peu de repos sans personne ! Je bosse toute la journée, le soir, je fais les courses, la bouffe, je dors et ça recommence. Et je ne pourrais pas partir un petit mois tout seul ! C'est pas pensable à la fin !

Je range la râpe et le gruyère.

— C'est plein de Japonais, dis-je, il y a eu un reportage à la télé.

— Je m'en fous, hurle Franck. J'irai.

Ne pas le contrarier. C'est une idée fixe, ça le tient bien.

— Et toi la campagne, ça te fera du bien.

Il change un verre de place, s'assied, se relève et ajoute :

— Et puis de toute façon, ta mère veut t'avoir pendant ce mois, alors...

On voit un petit bout de Paris de notre fenêtre. Avant, on voyait mieux mais il y a trop de maisons qui ont poussé et ça cache le ciel sur la droite.

Il va bientôt faire nuit et, soudain, on n'entend plus rien. Il n'y a plus de voitures dans la rue, on dirait que tout le monde est arrivé chez soi. L'eau des pâtes bout derrière mon dos. Je n'ai pas appris mes leçons avec tout ça : le résumé d'histoire sur les châteaux forts.

C'est vrai qu'on n'avance pas vite... Le seigneur dans le donjon, les archers aux créneaux, les péquenots dans les champs et des salopards de suzerains qui cavalent dans le blé en ravageant toute la récolte pour attraper un cerf tout baveux, ça fait trois semaines qu'on est là-dessus, on finira par le savoir.

J'aime bien les dessins du livre, surtout pour les batailles avec les Gaulois et Vercingétorix qui ressemble au concierge de l'école.

— A quoi penses-tu ?

— A des Gaulois, dis-je.

Il secoue la tête.

— Je ne te comprends pas, c'est pourtant bien l'Ardèche !

Il est soucieux que j'aie l'air triste. Je ne suis pas triste d'ailleurs, je ne pensais même plus aux vacances, enfin j'y pensais quand même, mais à peine, juste avec le fond du cerveau.

Il soupire et se sert un whisky léger. J'ai envie de lui dire de ne pas s'en faire parce que, de toute façon, je serai dans l'avion avec lui.

AUBERVILLIERS = BANGKOK

On se dirait déjà en avion. Je n'y suis jamais monté mais je suis sûr que c'est comme ça. Ça sent les endroits riches, un peu comme dans les beaux cinémas parce que les femmes ont les moyens de se payer des parfums qui sentent de loin. Il y a aussi l'odeur du cuir, de beaux fauteuils, bref, c'est dur à expliquer : c'est le luxe.

C'est un très bel endroit. Dans les cendriers, il y a des mégots plus longs qu'ailleurs et des américaines, pas des brunes, les gens ici ils doivent tirer deux bouffées et, après, ils jettent parce que ça ne les gêne pas d'en sortir une autre : enfin je suppose que c'est comme ça que ça doit se passer. Pas comme nous quand Rachid pique une gitane maïs à son père, et qu'on est douze à téter après, derrière la palissade du Passage du Nord.

Mais ce qui est le plus terrible ici, c'est l'éclairage

avec les statues, les palmiers et les grandes photos. Au fond, il y a une Indienne avec des bras partout, toute contorsionnée, en pierre rouge comme de la brique. Et partout, on voit des plages en couleur avec des pirogues et des noirs musclés comme Cassius Clay et des éléphants aux oreilles écartées et des moines tout jaunes, même la robe. Ça, ce doit être du côté de Bangkok.

Ce qui m'a surpris le plus, dès l'entrée, c'est qu'on rentre, on regarde, on peut s'asseoir dans des fauteuils qui s'enfoncent, on peut prendre des prospectus, des magazines, tout ce qu'on veut, et c'est GRATUIT.

Je ne comprends pas les clochards.

Au lieu d'aller dans le métro où ça pue, où c'est moche et où on leur cavale après dans les couloirs, pourquoi ils viennent pas par ici ? Il y a de la musique toute douce, avec des clochettes, on peut lire, et puis alors, il y a des filles avec des uniformes comme dans les films, et tout ça c'est plein de couleurs beiges.

Près de moi, il y a comme des lianes et des cactus à côté qui poussent directement dans la moquette. C'est vraiment formidable, c'est con que Gilles se soit dégonflé de venir. C'est tellement beau que si je me laissais aller, je m'endormirais. Mais c'est pas tout, je suis venu pour me renseigner.

Costa del Sol, Kenya, Bermudes, Safari Photos, les Seychelles à portée de la main, huit jours avec Ramsès II, circuit jungle avec chasse au tigre... Ah, voilà Bangkok.

C'est une belle brochure, et ici, même le papier sent bon, il est tout luisant.

Alors là, ça me porte un coup : c'est pas du tout

ce que j'avais lu dans le dictionnaire. C'est bourré de temples, de soleil, d'éléphants dans les rues, et les hôtels, alors là, chapeau : au moins 50 étages, on voit plein de gros bonshommes bronzés en train de se tremper dans des piscines bleues et biscornues avec des bars, et des tas de filles en maillots de bain qui servent des verres pleins de glaçons, et elles ont la même allure sexuelle.

Et sur tout ça, un ciel bleu incroyable, exactement le même d'une image à l'autre comme s'ils avaient tout photographié le même jour.

Enfin, c'est le paradis dès le premier coup d'œil, et je ne comprends plus parce que, pour savoir, j'ai un peu regardé dans le dictionnaire en deux volumes qu'on a à la maison, et dessus, ils disaient qu'à Bangkok, il y avait des cimenteries, des chantiers navals, des fabriques alimentaires... bref, c'était l'usine. Comme Aubervilliers.

Alors qui ment ? Le dictionnaire ou le magazine ? Peut-être que les photos sont truquées et que, derrière tout ça, c'est plein de gravats, de chantiers avec des tuyaux et des bouts de ferraille qui dépassent comme dans les Halles... Si c'était ça, faudrait que je le prévienne, le père Franck, qu'on ne va quand même pas dépenser tout ce fric pour se retrouver dans les boîtes de conserve ou dans les démolitions.

Et d'un autre côté, si c'est le magazine qui a raison, c'est quand même un peu mieux que l'Ardèche ! Et puis, les éléphants, c'est des vrais quand même, on en verra, c'est sûr, à moins qu'ils les aient fait venir pour prendre la photo et qu'ils les aient remballés après pour le zoo de Vincennes.

C'est pas tout ça, mais faut que je me remue

parce que je ne me suis pas payé tout ce trajet pour regarder des publicités ; des Buttes à l'Opéra, ça fait un bout de chemin.

Je me lève, et quand je marche, c'est silencieux et élastique. Quand on est riche, même marcher est plus agréable.

— S'il vous plaît...

Elle lève la tête et, ce qui me fait un coup, c'est qu'elle a les ongles de la même couleur que ses cheveux. Ils en font des trucs maintenant... Elle a des yeux sexuels.

— Que désirez-vous ?

Je ne m'attendais pas à ce qu'elle me vouvoie, elle sourit aussi avec sa bouche toute peinte au pinceau, elle a les lèvres laquées et un accent drôle, suédois ou arabe. En tout cas, elle n'a pas du tout le genre à la mère Carpentier.

— Je voudrais savoir combien c'est pour Bangkok, s'il vous plaît.

J'ai dit s'il vous plaît, et j'ai une attitude naturelle, décontractée pour que ça ne fasse pas anormal, parce que je suis quand même le seul enfant dans l'agence.

— C'est un renseignement pour vos parents ?

Elle facilite les choses, cette nénette.

— Oui, enfin, c'est pour mon père et moi, parce qu'on doit partir à Bangkok alors on voudrait savoir combien c'est.

J'ai sorti tout ça négligemment, en souplesse, relaxé.

Elle sourit, croise les jambes comme les danseuses et tend des papiers, et, avec sa voix comme de la musique, elle demande :

— Nous avons différentes formules : la pension

complète avec circuits en supplément, ou alors si vous préférez...

Et elle commence un discours avec des prix tous différents, et des catégories d'hôtels pleins d'étoiles, mais moi je suis mon idée.

— C'est vrai que c'est plein d'usines ?

Elle s'arrête pile comme si je lui avais dit un gros mot. Elle n'a plus du tout l'air sexuel, et le plus drôle, c'est que lorsqu'elle reparle, elle a perdu son accent américain, peut-être qu'elle est née aux Buttes-Chaumont elle aussi.

— Qu'est-ce qui est plein d'usines ?

— Bangkok.

Elle va me sauter dessus ou peut-être appeler la police, je n'aurais jamais dû demander ça, ce doit être interdit.

Elle a un ricanement saccadé comme un bruit de machine à écrire, et elle dit :

— Qui est-ce qui vous a dit une chose pareille ?

— C'est dans le dictionnaire.

Alors là, j'ai encore dit quelque chose qu'il ne fallait pas parce qu'elle a l'air de vouloir vomir sur son beau bureau en aluminium.

— Des usines à Bangkok !

Elle lève ses deux bras et les agite en montrant la porte.

— Allez du vent, du vent, c'est une agence ici, j'ai du travail moi !

Ça je le sais que c'est une agence, mais son histoire de travail, je n'y crois pas parce que, lorsque je suis rentré, elle regardait voler les mouches, et il n'y a pas de papiers sur son bureau, même pas un stylo, alors faudrait pas qu'elle essaie de me bourrer le mou cette prétentieuse.

— Alors, dis-je, vous pouvez pas me renseigner ?

Elle y met de la mauvaise volonté parce qu'elle doit bien le savoir s'il y en a ou pas des usines.

Et voilà qu'une bonne femme derrière moi se met à piauler comme un canari.

— On ne devrait pas laisser venir les enfants seuls...

Elle a des bracelets infects à ses maigres poignets et plein de poudre de riz accrochée à la moustache. Elle est avec un vieux mec de cent ans qui a des bottes à hauts talons et une montre de plongée sous-marine, comme s'il allait chercher des coquillages dans le fond des mers, et ça me terrifie tout de suite parce que je comprends que si on part là-bas, c'est des gens comme ça qu'on va rencontrer tout le temps.

— Je me renseigne, dis-je, c'est pas interdit aux moins de treize ans...

Le centenaire chancelle dès qu'il y a un souffle d'air et dit : « Je t'en prie, Lydia. » L'autre secrétaire sexuelle semble énervée, elle me charge les bras d'un monceau de prospectus de toutes les couleurs, et essaie de sourire en remontant le coin des lèvres vers ses oreilles.

Je me retire dignement. Je vais pouvoir étudier ça de près. La porte s'ouvre avec un léger ting-tong et me voilà dehors.

J'ai regardé tout ça sur le banc du métro et j'ai eu une réponse à mon problème : c'est vachement cher comme voyage, mais ça n'a pas grande importance parce que, d'après Dédé, on va ramasser un paquet tel que je vais pouvoir me payer cinq ou six aller-retour Paris-Bangkok bien à l'aise.

Pour ce qui est des usines, je ne sais toujours pas mais je verrai sur place. Ce qui est sûr, c'est qu'il y a des éléphants, et si je veux en voir, j'ai plus de chance d'en trouver en Thaïlande que près d'Aubenas.

Je suis descendu deux stations avant parce qu'il faisait trop chaud dans le métro, et surtout, je déteste quand il y a du monde parce que les gens poussent, et j'ai la tête à la hauteur des fesses, et quand c'est la station où je dois descendre, il faut que je crie sans cela personne ne bouge et je reste coincé.

Il faisait assez frais mais j'étais mieux à marcher, et tout le long du chemin qui mène à ma maison, j'ai pensé à la vie.

Je trouve que ce n'est pas mal dans l'ensemble mais compliqué. Ce qui m'a embêté le plus quand maman est partie, c'était pas qu'elle soit plus là, c'était la tête de la concierge et des voisines, chaque fois qu'elles me rencontraient. On aurait dit que j'avais fait une deuxième varicelle, elles me plaignaient. En fait, ça ne m'a rien fait. C'est plus simple avec Franck, c'est plus simple pour la cuisine, pour rire, pour tout. On peut se battre sur la moquette et regarder le film à la télé jusqu'à la fin. A table, quand je renverse le soda ou quelque chose comme ça, ce n'est plus la catastrophe. Ça ne veut pas dire que c'est la joie toujours mais enfin ce n'est pas la peine d'en faire un plat de tristesse. Elle est partie, elle est partie et voilà.

Personnellement, je préfère Franck à son Américain, mais c'est elle qui a choisi et on n'y peut rien. D'ailleurs, ce qui prouve bien que Franck est plus beau, c'est qu'il a Jeanine et que Jeanine est mieux que maman comme femme, elle est plus sexuelle comme allure, et elle monte à cheval, et en plus elle est pleine de bonne humeur, alors moi je crois qu'il n'a pas perdu au change.

Ça me fait drôle parfois parce qu'ils sont mariés, ils ont moi et ils ont chacun un autre mari et une autre femme, mais ça ne me rend pas malheureux du tout. Parce que Franck et Jeanine, ils font tout comme s'ils étaient mariés : ils vont au cinéma, ils se font des bises et toute la sexualité, ça j'en suis sûr.

Je me demande si je me marierai moi. Ça dépend du métier que je ferai, parce que si je suis gangster comme je le veux, il vaut mieux pas parce que, si je me fais prendre un jour, passer le dimanche à discuter derrière une vitre avec son mari, c'est pas drôle pour une femme. Et puis, pour le moment, je n'ai pas rencontré l'amour. Je préfère ne pas penser à ces choses, c'est quand même un peu dégueulasse.

Quand je suis rentré, Jeanine était là justement, elle avait préparé le repas, tout impeccable, et on a attendu que papa arrive en jouant au poker. Franck avait dû la prévenir parce qu'elle n'a pas voulu jouer d'argent, elle a dit non tout de suite avec un peu de frayeur.

Pourtant, elle gagne bien sa vie.

Elle a eu raison d'ailleurs parce que j'ai eu deux fulls coup sur coup, et un joli petit brelan par les dames qui m'aurait drôlement arrondi ma cagnotte.

On a écouté Eddie Cochrane après. Elle s'y connaît pas mal en rock et j'ai pensé que si j'en rencontrais une comme ça quand je serai grand, je me marierais peut-être.

Je lui ai dit alors que j'allais avoir beaucoup d'argent bientôt, et elle a fait « Ah ! Ah ! » ; comme elle ne me demandait pas combien, j'ai annoncé :

— Deux ou trois millions peut-être.

Elle a fait un beau sourire et a dit :

— Tu m'inviteras au restaurant j'espère ?

J'ai bien vu qu'elle ne me croyait pas et ça m'a vexé. J'ai jugé inutile de rentrer dans le détail de notre combine. Elle a baissé dans mon estime et Franck est arrivé à ce moment-là.

Il était en forme, il est toujours en forme quand Jeanine est là ; il a raconté plein d'histoires et je suis parti me coucher, parce que je sais disparaître quand il faut pour pas gêner les amoureux.

LA BELLE ANGINE

— Ta ta, tarata, ta ta...

Je ne lui en veux pas, mais c'est monotone, tous les matins il imite le clairon ; pourtant, il est tout fier de dire qu'il n'a fait que trois semaines de service militaire.

Flaouf, ça y est, le jour en plein dans l'œil. Il s'arrête, face au lit, inquiet.

— Qu'est-ce qui t'arrive ?

Il s'assied, me met la main sur le front, et rien qu'à ce geste, je me sens devenir complètement malade. C'est la gorge surtout qui me pique, ça fait mal quand j'avale parce que c'est tout resserré.

Il sort avec les sourcils froncés et revient avec cette saloperie de thermomètre.

— Tu vas t'enfoncer ça dans le derrière. Tu veux que je le fasse ?

Il ne m'a vraiment pas regardé.

— J'y arriverai tout seul. Combien de centimètres ?

— Il faut qu'il en reste à l'extérieur pour pouvoir le ressortir.

Je n'ai jamais rien entendu de plus drôle, s'il continue comme ça, il va me faire mourir de rire.

Tristement, je réfléchis à l'avenir. Si j'ai de la fièvre, pas d'école. C'est bien et mal à la fois, bien parce que moins je vois la mère Carpentier et mieux je me porte, mal parce qu'à la récré, l'équipe va se faire bananer si c'est pas moi qui suis dans les buts.

Je me demande combien je peux avoir. Gilles a dit une fois qu'il avait eu 45° pour sa scarlatine.

Revoilà papa.

— Montre-moi ça.

J'enlève le thermomètre et le lui donne parce que c'est difficile à lire, je n'ai jamais su.

— Combien ?

— 38,2°.

— C'est de la fièvre ?

— Un peu. Tu vas rester au lit.

Je me renfonce avec un soupir. Après tout, c'est agréable et, s'ils mettent Alex comme goal, ils arriveront peut-être à limiter les dégâts.

— Montre ta gorge.

Ça aussi, c'est un truc qui lui plaît bien : faire croire qu'il s'y connaît comme un docteur. Il regarde, il ne voit rien mais il est content.

— C'est rouge, dit-il, c'est l'angine, je vais appeler Terrasse.

Terrasse, c'est le médecin. Un drôle de nom, je trouve. Il n'a pas l'air d'un docteur du tout, il a les cheveux longs et des blousons militaires. C'est un copain à papa, un copain de lycée. Quand ils commencent à parler des blagues qu'ils faisaient à leur prof de maths, ils se tordent comme des fous, et les gens autour demandent l'addition. C'est lui qui m'a soigné ma varicelle. Si on peut dire, parce qu'il m'a ausculté, m'a tiré l'oreille et il est parti avec tous mes Lucky Luke sous le bras. Quand je l'ai revu, j'étais guéri.

Franck reste pendu au téléphone et revient, embêté.

— Terrasse ne peut pas passer avant ce soir. Je vais demander à ta mère de venir.

Je m'assois d'un seul coup.

— C'est pas la peine, je peux bien rester...

Grand geste du bras qui balaie.

— Non, je préfère, elle te fera à manger...

Il enfile son imper, remonte mes couvertures et cligne de l'œil.

— Pas d'école mon petit pote. T'es heureux ?

Je lui fais la bise molle et il s'en va.

Quelle barbe. Je n'ai même pas envie de mettre la radio parce que j'ai la tête qui résonne du dedans et même le bruit des voitures, en bas, ça me gêne. Je suis fatigué et je n'ai pas sommeil. Ça m'énerve. Bref, ça ne va pas.

Il faut que ce barbu de Terrasse se grouille un peu de me sortir de là, parce que, tout de même, la date du hold-up approche, et il serait temps de s'en occuper sérieusement.

— C'est ça vos nouvelles lectures ?

Elle se tient appuyée contre la porte et, du bout des doigts, elle tient le magazine de Frankenstein

qui bat des pages. Ça me fait rire parce que j'étais
sûr qu'il ne l'avait pas jeté. Il adore lire ces trucs-
là.

— Où est-ce que tu l'as trouvé ?

— Derrière le radiateur.

Ça, c'est bon à savoir, il est toujours utile de
connaître la cachette des gens, leur coin secret.

Maman hausse les épaules et sort, dégoûtée.
C'est le genre de bouquin qui l'écœure.

Elle est difficile à expliquer comme femme.
D'abord, elle est rêche comme les tissus que je
n'aime pas toucher. Pas rêche pour la peau, je parle
du moral. Elle fait un effet froid. On la voit et on
a envie d'en changer, voilà ce qu'on peut dire.

C'est ma mère mais je sens bien que je préfére-
rais que ce soit Jeanine qui soit là. C'est peut-être
pas bien de le penser, mais c'est comme ça, je ne
peux pas faire autrement. Je l'entends qui s'agite à
côté, qui remue des trucs, qui soupire et tout ça,
ça fait que je m'endors et Gilles descend avec la
balle au pied, mais au lieu de centrer sur Manin
complètement démarqué à l'aile droite, il se fait
piquer par ce grand con de Dumouriez du CM2 qui
arrive comme la foudre et alors, avec ma souplesse
je fais un plongeon de piscine superbe, et voilà le
ballon qui glisse comme la savonnette, et paf, le
but. Je me relève furieux, et juste ça sonne pour la
fin de la récré. Je suis tout en sueur dans mon lit,
le pyjama tout mouillé, et ça sonne vraiment, mais
c'est pas la fin de la récré, c'est la porte et je
comprends le drame tout de suite, avec l'aveuglante
clarté qui tombe des étoiles, comme dit la réci-
tation.

Le drame horrible va se déchaîner parce que je

sais qui sonne en ce moment, j'en suis aussi sûr que si la porte était en verre, et que je la voyais au travers : c'est Jeanine.

Je me souviens de tout nettement parce que c'est vendredi et que c'est le jour où je vais pas à la cantine et que, bon mais c'est pas le moment d'expliquer tout ça parce que si les deux bonnes femmes se trouvent face à face, c'est la tuerie comme dans les films.

Je saute en l'air, pieds nus ; je fonce.

— Bouge pas, m'man, je vais ouvrir.

Elle est dans la cuisine à remuer des casseroles, et je l'entends qui crie :

— Reste couché, j'y vais.

C'est au dixième de seconde, j'ouvre d'un coup et je dis sans réfléchir.

— Non merci, on a assez de pommes de terre comme ça.

La Jeanine, elle a son sourire qui reste fixé mais ses sourcils remontent à toute vitesse.

— Quelles pommes de terre ?

Qu'elle fait.

Moi, je cligne de l'œil comme un fou et maman qui dit :

— Qu'est-ce que c'est ?

Et je l'entends qui se rapproche et ça va être le drame.

Je tiens la porte, toujours en battant de la paupière.

— Non, dis-je, on n'en a pas besoin, au revoir madame.

Elle a les yeux comme des ballons de football et je vais refermer mais l'autre est là à présent.

Je prends l'air négligent et je la pousse un peu dans le couloir.

— C'est la marchande de pommes de terre, elle passe tous les vendredis.

J'ai dit ça parce que c'est vrai ; deux ou trois fois, il est venu une dame qui proposait des pommes de terre, elle sonne à toutes les portes et quand la concierge arrive, elle se carapate ; mais alors la bombe a explosé et j'ai failli tomber par terre parce que voilà ma mère qui me pousse contre le mur et qui ouvre la porte à toute vitesse.

— Ça tombe bien, dit-elle, on n'en a plus.

Avec la fièvre et l'angine, tout a tournoyé mais je l'ai suivie sur le palier et, évidemment, le dernier espoir s'est écroulé parce que Jeanine était encore là, toute stupéfiée. Maman l'a toisée et a regardé à ses pieds. Evidemment, elle devait chercher les sacs.

Ce Franck, avec ses femmes, il me rendra fou.

— J'en voudrais deux kilos. Vous les faites combien ?

Jeanine, elle la regarde et elle me regarde, moi derrière, tout collant dans mon pyjama, et alors là, elle a dû comprendre parce qu'elle a dit d'un seul coup :

— Trois francs quatre-vingt-quinze.

Maman a fait un petit bond sur place.

— Elles sont en or massif vos patates, a-t-elle dit.

Il y a eu du bruit dans l'escalier à cet instant et Jeanine a commencé à descendre à reculons.

Ma mère ricane.

— C'est trop cher, je descends à l'épicerie.

L'air m'est arrivé d'un coup dans les poumons

quand elle a refermé la porte ; un jour, j'aurai une crise cardiaque.

— Tu en fais une tête, dit-elle, va tout de suite te coucher, tu ne dois pas te lever.

Elle me regarde sans me voir et je sens que quelque chose l'inquiète.

— Où elles étaient ses pommes de terre ?

— Ils ont un camion en bas, ils prennent les commandes d'abord.

Elle murmure quelque chose et je me recouche, épuisé.

J'ai eu le sacré réflexe, et le père Franck me doit la belle chandelle, parce que si je n'avais pas été là, je sens d'ici le carnage.

« Qu'est-ce que vous faites là ? »

« Et vous ? »

« Moi, je suis sa vraie femme. »

« Ce n'est pas vrai, c'est moi parce que vous êtes partie avec un Américain qui s'appelle Bill et qui fait de la peinture. »

« Et vous, vous n'êtes pas sa femme non plus parce que vous n'êtes même pas mariée, pauvre cloche ! »

« Prends ça, sur ton nez, salope. »

Et crac, les voilà qui roulent comme les cat-cheuses à la télé. Je me demande qui aurait gagné des deux. Maman est teigneuse mais Jeanine est quand même plus costaude ; dans l'ensemble, ça aurait fait un match équilibré.

Il vaut quand même mieux pas. Et s'il n'y a pas eu de match, c'est à qui qu'on le doit ?

Bibi.

Evidemment, j'aurais pu trouver autre chose que

transformer Jeanine en marchande de patates, mais c'est ça qui m'est venu en premier, alors...

Quand je réfléchis, je me dis que, de toute manière, maman n'aurait rien à dire puisqu'elle a un autre bonhomme, Franck a bien le droit d'avoir une autre bonne femme, mais il préfère que ça ne se sache pas, il l'a dit un jour qu'il croyait que je n'écoutais pas (il croit toujours que je n'écoute pas) ; en tout cas, je lui ai sauvé sa baraque à ce rigolo.

Ça sonne de nouveau.

C'est quand même pas l'autre qui revient !

Je m'assois et j'écoute.

Maman arrive à la porte et n'ouvre pas.

— Qui est là ?

Ça, je déteste. Papa ne fait jamais ça. Quand on sonne, il ouvre. C'est normal. Bref, je n'entends pas la réponse, juste une exclamation, le bruit du verrou et, après, il y a un bruit de conversation et une bonne femme qui dit :

— Jamais de la vie, ça fait quinze jours qu'elles sont à 1 franc 40 !

Ça y est, ça me fait encore un tour dans les estomacs, et je jaillis des draps ; je suis un malade qui ne peut pas rester au lit.

Je la vois dans l'entrebâillement.

Cette fois, c'est la vraie marchande et maman fait de grands gestes.

— Dans les trente ans, assez jeune, l'air insolent... plutôt forte.

Elle est en train de l'arranger, la Jeanine.

— Méfiez-vous, c'est peut-être quelqu'un qui cherche à voler, au jour d'aujourd'hui...

Elle hoche la tête. Sa peau est couleur de pomme

de terre, il n'y a pas à s'y tromper, celle-là, c'est la vraie. En fin de compte, elle les a achetés ses deux kilos, et je suis assuré d'avoir ma purée pourrie.

Chaque fois que je suis un peu malade : la purée. Jamais de surprise.

Ce soir, quand Franck est arrivé, Maman est partie.

Ça prouve quand même bien que ça ne va pas fort fort entre eux.

Je lui ai raconté pour Jeanine, mais il savait déjà et on a pas mal ri, à la fin, il m'a regardé.

— Tu as du sang-froid, a-t-il remarqué.

— Il m'en faut pour mon futur métier.

Il a allumé sa gitane.

— C'est vrai, dit-il, j'oubliais, quand est-ce que tu la pilles ta banque ?

— Théoriquement dans un petit mois.

Il a frappé dans ses mains.

— Formidable ! Juste pour payer les impôts !

Il m'a filé les pilules et toutes les saloperies que m'a données Terrasse, et il est parti se coucher.

Il me croit pas.

KING OF THE ROCK

L'angine se termine mais Terrasse a dit que je n'irai à l'école que demain.

Je joue évidemment pas mal dans ma vie.

Le foot à la récré, les tortures à Florence, les pokers avec Franck, et des tas de choses encore. Mais j'ai qu'un seul jeu vrai parce que celui-là, personne ne le connaît. C'est mon jeu secret.

J'ai pas besoin d'objets, de place, ou rien du tout ; pour jouer à mon jeu, il suffit que je me recroqueville en boule quelque part, dans un endroit où personne ne peut m'embêter, et là, je ferme les yeux et je joue.

Je joue à préparer des coups. C'est très important pour moi si je veux devenir un jour un gangster comme je l'ai déjà dit plusieurs fois. Alors, bien tassé dans mon coin, sans personne pour me déranger, je combine, je minute et après, quand tout est au point, réglé à la seconde près, j'exécute.

Parce qu'attention, quand je dis que c'est un jeu, c'est faux. C'est de l'exercice. Je me prépare. Je réfléchis bien et je passe à l'action.

C'est pas tellement pour piquer des trucs que je fais ça, c'est pour avoir l'habitude et, comme ça, le grand jour, je ne tremblerai pas dans ma culotte pour emporter les dix briques qu'on va se ramasser.

Depuis deux jours, je suis sur une affaire de disques. Un 45 tours d'Elvis. Ça n'a l'air de rien mais piquer un 45 tours dans un Prisu, c'est peut-être plus difficile que de cambrioler un train postal parce que d'abord, je suis tout seul, je suis assez petit et enfin, je ne suis pas armé.

Et puis, il y a deux vendeuses énormes en blouse nylon qui surveillent et quand elles voient un gonze comme moi qui lèche les rayons, elles sortent les matraques du tiroir-caisse. Le Prisu près de chez moi, c'est terrible, c'est plein de C.R.S. femmes.

Voilà donc le problème : malgré les deux énormes, malgré la surveillance, arriver à piquer mon Elvis.

C'est vraiment pour m'entraîner parce que, en fait, j'ai des sous, mais ça c'est un vrai jeu qui fait trembler. On est plusieurs en classe à jouer à ça. Gilles est même assez fort, pour la fête des pères, il a choisi une paire de boutons de manchettes avec des diamants vraiment terribles. Mais le pire, c'est Dumouriez. Alors lui, ce qui le sauve, c'est qu'il a les yeux bleus, tout clairs, tout doux. Il passe à la caisse avec son sourire, et même s'il emporte le magasin dans ses poches, toutes les caissières lui font bonjour-bonjour avec la main.

Il a parié qu'un jour il partirait avec un babyfoot et, personnellement, je pense qu'il le fera. On verra.

C'est le grand jour.

Ce soir, à 16 heures 38, après la sortie de l'école, j'attaque.

J'ai tout dans la tête parce qu'il ne faut jamais rien écrire : pas de papiers, pas de traces.

16 heures 30, sortie. Je fais semblant de revenir de l'école.

16 heures 33, entrée dans le Prisu.

Je ne me dirige pas tout de suite vers le rayon, je tourne un peu, côté de l'alimentation, et à 16 heures 36, je m'approche.

Deux minutes pour faire semblant de choisir et à 38, c'est l'attaque.

Si je faisais mon testament ?

Parce qu'on ne sait jamais, il peut y avoir des flics, une poursuite, une balle qui ricoche ou n'importe quoi...

Non, ça ne loupera pas, quand on prépare tout, bien implacable, ça réussit toujours. Je vais bouquiner un peu en attendant.

Les Lucky Luke, je les connais par cœur. Avant, j'aimais bien les histoires de chien dans les pays froids, les traîneaux sur les lacs gelés, et il y a toujours un débile qui passe quand ça commence à craquer et flaouf, au bouillon avec les fourrures et tout le tremblement. J'adorais ça. J'aime bien aussi les Trois Mousquetaires sauf quand il y a toutes ces histoires d'amour à la noix parce que ça ralentit ; chaque fois qu'une bonne femme arrive, ça devient lent, lent... D'Artagnan par exemple, c'est un mec que je ne comprends pas, il fait bien de l'épée, il galope, il a des copains, il est heureux et, tout à coup, ça y est, il tremble, il s'énerve, il court partout parce que voilà Mme Bonacieux ou l'autre salope de Milady. Mon préféré, c'est Athos parce qu'il est froid comme mec.

16 h 20.
J'ai lu plus de soixante pages finalement et, encore un peu, je laissais passer l'heure.
Fini de rire.
D'abord l'équipement.
Chaussures spéciales : baskets antidérapantes pour, en cas de fuite, pouvoir prendre des virages à la corde sans pédaler à vide sur le lino ciré.
Vêtements serrés pour pas s'accrocher et pour pas attirer la méfiance, parce que si j'arrive avec un grand truc large plein de poches, c'est super-suspect.
Mes sous, et en avant Fanfan la Tulipe.
Ça m'excite jusque dans la vessie.
Les Prisus, ça fascine.
Il y a la musique qui fait un drôle d'effet et puis, de temps en temps, une voix de femme comme la saloperie de l'agence de Bangkok, toute voilée « A notre rayon produits de beauté, grande réclame... » ; les couleurs, ça fait beau, ça miroite, avec les étiquettes et tout ce monde qui passe et repasse... C'est un peu comme une fête. J'ai mes rayons préférés : pas tellement celui des jouets d'ailleurs parce qu'il n'y a jamais rien de terrible, mais celui des bouquins avec les illustrés, et puis aussi bien sûr, celui des disques.

Je me baguenaude un peu. Surtout ne pas regarder les vendeuses parce que si elles voient que je les regarde, elles vont se demander pourquoi et elles vont plus me lâcher de l'œil ; alors j'avance comme si j'étais seul au fond de la mer.

16 heures 37.

Voilà l'endroit.

C'est beau à voir : tout un mur de disques avec les pochettes qui éclatent dans l'œil. A gauche, c'est les grands 33 tours, les supers, les inaccessibles. Il y a les classiques aussi, Beethoven et tutti quanti. Et puis le plus important, c'est les 45 rangés en ordre alphabétique : c'est Aznavour qui débute en haut à gauche. Je bâille un peu comme celui qui attend que sa mère ait fini de choisir ses haricots verts, et je prends le Presley de la main droite. C'est celui où il a le costume doré avec les brillants et une bague qui lui cache toute la main, on voit la sueur qui dégouline de son front jusque dans le micro.

Mes yeux s'éclairent : tiens, il y en a un autre à côté que je n'avais pas vu. Il n'y a que sa tête sur la couverture, une grosse tête de bébé joufflu avec la mèche qui frise. Le titre est chouette : « Elvis, King of the Rock. » Ça veut dire le roi du rock. Je n'ai pas fait d'anglais encore mais je connais pas mal de petits trucs par-ci par-là.

Bon eh bien, mon choix est fait, c'est celui-là que je vais prendre.

La vendeuse ne m'a pas vu. Elle tourne le dos en se roulant des boucles autour du doigt.

— Madame s'il vous plaît.

Elle me regarde comme si j'étais du chewing-gum écrasé sur sa chaise, prend mon disque, le fourre dans un sac en papier, tape de deux doigts sur sa caisse et dit :

— Neuf, quatre-vingt-quinze.

Je lui donne mon billet de dix francs, elle me refile ma monnaie et se remet à se rouler les boucles en chantonnant une chanson débile du genre : « Ne va pas croire que je t'aime Sandra my love. »

Je fais une petite balade sympa devant les tee-shirts et me revoilà dehors, tout tranquille. Quelqu'un qui me verrait déambuler sur le boulevard dirait : « Tiens, voilà un garçon qui vient d'acheter un disque 45 tours au Prisu. »

Eh bien, ce type-là se gourerait complètement parce que, s'il faisait bien attention, il remarquerait qu'à la main, j'ai un sac, que dans le sac j'ai une pochette de disque et que dans la pochette de disque, j'ai DEUX disques.

Et voilà le travail les petits gars, ni vu ni connu, ça c'est du boulot comme je l'aime, deux Elvis pour neuf francs quatre-vingt-quinze, c'est pas cher. Ce qui m'embête un peu, c'est qu'évidemment, j'ai dû laisser une pochette vide au magasin, et elle était assez chouette, mais on peut pas tout avoir.

Eh bien, c'est pas l'attaque de la diligence, mais je suis assez content tout de même parce que, il y a beaucoup de gens qui n'auraient pas fait ce que je viens de faire. La maîtresse, quand elle fait la leçon sur la morale et l'hygiène, elle dit qu'il faut se laver les dents de haut en bas et ne pas voler son prochain.

Moi, je ne vole pas mon prochain, je vole le Prisu. C'est pas pareil, je suis un peu dans le genre Robin des Bois : je pique aux riches.

Ce qui serait mieux, c'est de donner aux pauvres mais c'est pas facile, parce que Robin des Bois se promenait dans les bois comme son nom l'indique et, dans un bois, il y a toujours une vieille toute courbée avec un tas de fagots sur le dos qui ramasse des brindilles pour l'hiver, alors il est facile de lui donner des écus, mais des vieilles comme ça, c'est dur à trouver entre Laumière et la place Armand Carrel. Et puis, quand même, si j'en trouvais une, par miracle, toute misérable en train de mendier, qu'est-ce qu'elle pourrait bien foutre d'un 45 tours Elvis Presley ?

A la maison, la marchande de patates était là quand je suis rentré. C'est comme ça que j'appelle Jeanine à présent. On est de plus en plus copains.

De toutes les filles de papa, c'est celle que je préfère. Une fois, je l'ai vu avec une maigre (il était drôlement gêné) avec les cheveux blancs brillants comme Marylin Monroe dans « La Rivière sans retour ». Celle-là, au bout de dix secondes, je pouvais plus la supporter. Rien qu'à l'entendre parler, ça me donnait mal au cœur. Je me souviens très bien, c'était pas longtemps après que maman soit partie. C'était la première fois qu'elle me voyait et elle a commencé par m'appeler Doudou. Et le pire de tout, c'est que j'étais devant elle, elle me regardait et elle ne disait pas : « Tu es sage à l'école, Doudou ? » ; elle disait : « Il est sage à l'école, Doudou ? »

Au début, je regardais partout pour savoir où il était son foutu Doudou. Franck, il était vert. Elle avait l'air de picoler pas mal pour une femme, elle disait qu'elle s'appelait Linda, mais quand on s'est retrouvés seuls Franck et moi, il m'a dit son nom, c'était Valentine.

Et puis, ce qui m'a pas plu, c'est qu'elle prenait le plus cher au restau. Personnellement, je ne suis pas avare mais je regarde toujours la colonne des prix parce que Franck se débrouille pas mal, mais parfois, c'est un peu serré juste avant la fin du mois, alors c'est pas la peine de tout claquer dans les assiettes. Mais elle, la mère Valentine, elle se gênait pas du tout, les huîtres, les escargots, etc. etc. J'avais déjà fini ma glace à la vanille qu'elle en était encore au tournedos financière. On peut dire qu'elle s'en est mis ce soir-là, elle causait toujours de sa ligne mais elle a bien dû grossir de trente kilos, et le plus fort, c'est qu'elle disait : « Il mange pas Doudou ? ».

Bref, quand on est partis, j'étais fou et elle était cuite, elle avait des mèches qui trempaient dans le cointreau.

On est rentrés à pied, Franck et moi, pour économiser le taxi et, dans l'escalier, il ne m'a même pas demandé comment je la trouvais parce que ça devait se voir à ma tête qu'elle m'avait pas botté des masses la Valentine. Simplement, quand je me suis couché, Papa s'est approché et il a dit : « Il va bien dormir Doudou ? »

On a rigolé et j'ai bien compris qu'il ne la verrait plus souvent, et ça s'est vérifié par la suite, parce que le dimanche d'après, on a rencontré Jeanine.

Je dis « on » parce que j'étais là, et faut pas qu'il raconte d'histoires, on l'a draguée à deux. Aujourd'hui, il prétend que c'est lui, mais moi, je sais bien que c'est moi qui ai fait le plus gros.

C'est un coin que j'aime bien.

C'est triste le dimanche et la Seine sous le pont est plus large qu'ailleurs et plus noire. Quand on regarde vers les banlieues, on dirait qu'elle n'arrive pas à couler, tellement c'est gluant et les berges sont pleines de grues. Après le pont, on respire plus à l'aise, on est devant les grilles et les allées montent vers un bâtiment sévère comme la mère Carpentier.

C'est le Jardin des Plantes.

A cette époque, c'était un peu l'hiver encore, l'herbe est noire et le ciel blanc, ce qui fait que c'est tout gris partout.

Il n'y a presque personne dans les allées. Il faut dire qu'on n'a pas tellement envie de s'asseoir sur les bancs parce c'est mouillé. Tout est mouillé, tout brille.

Ce que j'aime dans ce jardin, c'est deux choses. D'abord, il y a la statue ; c'est dans un coin à l'écart, elle est toute pleine de vert-de-gris et elle représente un Indien qui se bat avec un ours. L'ours a un couteau planté dans le cœur mais il serre l'Indien avec ses griffes, et ce qui est terrible, c'est qu'on ne sait pas qui c'est qui va gagner. Ça me fascine. Je resterais des heures devant à regarder parce qu'on espère toujours que ça va remuer.

Franck pense que l'ours va écraser le chasseur mais je pense qu'il y a une chance qu'il tombe foudroyé parce qu'avec un couteau dans le cœur, il peut pas traîner des heures.

Après la statue, il y a l'allée sur le côté avec les branches qui se rejoignent au-dessus des têtes, et ça me fait toujours un drôle d'effet, je ne sais pas pourquoi. C'est une impression de lugubre. J'aime.

On vient là pour jouer un peu au foot parce que les Buttes, c'est pas mal comme jardin, mais alors, c'est plein de pentes, et quand on shoote trop fort, faut courir. Ici, c'est plat.

Ce jour-là, il y avait encore moins de monde que d'habitude, c'était tout déplumé partout et Franck a commencé à tenter de me marquer des buts sans grand succès. Il tire pas mal du droit mais du gauche, c'est nettement imprécis. Lui est persuadé qu'il aurait pu être Beckenbauer, mais moi je peux affirmer le contraire. Donc, on joue, on se réchauffe et, tout d'un coup, sur un renvoi, au lieu de brosser sa balle, il l'enlève trop, je me détends mais sans succès, le ballon rebondit contre un arbre, je le vois plus et alors j'entends « merde ».

J'avance, je regarde et je vois une fille toute emmitouflée avec plein de feuilles de papier éparpillées par terre et mon ballon sur les genoux.

Elle avait pas l'air heureuse du tout.

— C'est Franck qui a shooté, dis-je.

— Franck ne sait pas viser, a-t-elle dit.

Là, j'étais bien d'accord avec elle et j'ai approuvé. A ce moment-là, il est arrivé comme celui qui ne sait pas de quoi il s'agit, tout frétillant, et il s'est mis à lui ramasser ses papiers, pas gêné du tout, comme si je n'étais pas là, et il a commencé son baratin du genre « Vous êtes institutrice ? Ça ne doit pas être rose tous les jours ». Bref, j'ai compris que c'était râpé pour le foot.

Ça m'étonnait qu'elle soit instit, rien de commun avec la mère Carpentier, elle n'avait pas l'air sévère du tout, mais là où elle m'a soufflé, c'est lorsqu'elle a dit : « Je jouerais bien aussi ».

Ça, c'est rare que des grands disent ça et j'ai apprécié. Elle goalait bien d'ailleurs, mieux que Franck mais ça, c'est pas une référence.

Après, je me souviens qu'il a commencé à faire sombre, il n'était pas tard pourtant, peut-être quatre ou cinq heures, et on était seuls dans ce grand parc plat, alors Franck nous a emmenés dans un café derrière le musée, un tout petit café dans une rue étroite avec un billard que l'on voyait à peine, il y avait un type en canadienne qui jouait tout seul, et j'ai pensé que c'était un drôle de dimanche qu'il passait là. Parce que moi, longtemps, j'ai cru que les jours de fête et les dimanches, les choses étaient différentes, que les murs étaient plus propres, que ça sentait meilleur partout, bref, des idées de gosse, alors ça m'a fait bizarre de voir comme ça pouvait être triste parfois même le dimanche.

Par la vitre, ça devenait tout noir sur les quais et on pouvait pas croire qu'il y ait un soleil quelque part, et on pouvait pas imaginer qu'un jour on le reverrait. Pendant ce temps-là, Franck discutait de choses et d'autres avec Jeanine, et après que je me sois enfourné un chocolat des familles, je me suis mis à participer à la conversation. Quand il a fait vraiment sombre, le patron a éclairé et là, je l'ai trouvée vraiment sympathique Jeanine. Elle ressemblait un peu à Mickey Mouse en plus jolie avec les oreilles en moins bien entendu.

En tout cas, ça a bien marché parce qu'on l'a raccompagnée à sa voiture, c'est là que j'ai vu la Fiat pour la première fois, et moi j'ai dit :

— Tu reviens dimanche ?

C'était normal, elle goalait pas mal et tout ça, je trouve que c'était bien comme proposition, et Franck n'arrivait pas à se décider à lui filer un rencard, je le voyais bien qu'il se tortillait, alors moi, crac, sans complexes.

Bref, sans moi, c'était râpé.

C'est comme ça que Jeanine est entrée dans ma vie.

J'ai tellement confiance en elle que je lui ai un peu raconté pour le hold-up, pas tout évidemment mais un peu. Elle m'a pas dit « faut pas faire ça, c'est mal, c'est du vol, et patati et patata... ». Pas du tout, elle a demandé :

— Et combien ça va te rapporter ?

— Quatre à cinq briques.

Elle a sifflé et dit :

— Joli magot.

C'est tout. Elle aussi elle doit voir des films.

Après, elle est revenue souvent évidemment. Ils sont pas mariés, bien sûr, mais elle s'en moque complètement ; elle sort avec nous, elle rentre, elle se moque du camp Duraton comme de sa première chemise.

J'aime bien Jeanine.

LES TECHNICIENS DU CRIME

En une vingtaine de lignes, faites un portrait physique et moral de vous-même.

« Je m'appelle Laurent Lanier comme je l'ai marqué en haut de la feuille et je suis né à Paris dix-neuvième dans la même maison que j'habite maintenant et c'était en février 1965 ce qui fait que j'ai dix ans passés.

Pour le physique, je suis pas bien grand encore mais je vais pousser parce que mon père est élevé comme taille et il n'y a pas de raison que ça ne soit pas pareil pour moi. J'ai des cheveux un peu jaunes qui frisent. J'ai deux yeux de couleur un peu marron mais pas complètement, c'est difficile à expliquer. Je suis assez fort comme garçon et même parfois plus fort que les plus vieux que moi et il y en a qui me craignent à la récréation. Voilà le portrait physique. Pour résumer, je suis assez beau.

Pour le moral, ça va bien aussi, j'ai pas de grands défauts ce qui explique que je n'ai pas fait de terribles crimes. Peut-être plus tard.

Mon père dit que je suis flemmard et c'est vrai pour des petites choses mais pas pour tout, par exemple pour l'école, je ne suis pas flemmard puisque j'apprends mes leçons comme vous le savez bien. Donc on peut pas dire que je sois très flemmard.

Je suis assez gourmand, j'aime toutes les glaces et ce qui est drôle, c'est que je suis surtout gourmand pour boire par exemple pour avoir de l'orangeade qui pique je ne sais pas ce que je ferais par moments, je tuerais quelqu'un tellement j'aime ça. Mais comme vous pouvez le voir ce n'est pas beaucoup comme défaut et j'ai pas mal de qualités mais je ne peux pas les dire toutes parce que vous diriez que je me vante et je ne suis pas vantard, je suis par exemple amical. C'est-à-dire que j'ai des amis. J'aime aussi les animaux, les petits chevaux en particulier, j'en connais un qui s'appelle Pistache et je l'aime bien. J'aime aussi beaucoup les éléphants mais je n'en ai pas encore vus. Et puis j'ai du courage. Peut-être pas comme Napoléon ou les gens du livre d'histoire mais j'en ai un peu quand même. Alors c'était mon portrait et je ne vois plus rien à dire alors, c'est fini. J'aime aussi beaucoup le cinéma. »

Et voilà. Si elle n'est pas contente avec ça, elle ira se faire cuire des œufs. Je me suis appliqué.

C'est quand même terrible, juste le jour où je reviens à l'école après huit jours de maladie, crac, je tombe sur une rédac. Alors ça, c'est dur. J'avais perdu l'habitude d'écrire. Et puis j'aime pas manquer parce qu'après il faut que je recopie la géo et la mère Carpentier vérifie si c'est bien fait. Elle est casse-pieds pour ça. Et puis le premier jour on ne comprend rien, ils parlent de trucs nouveaux même à la récréation et je déteste. Enfin là, c'était pas ma faute. Gilles a sa tronche de quand il a perdu aux billes, il a bloqué un zéro en dictée et ça se voit que ça l'embête.

La pendule ne sonne pas. Thérèse à côté de moi met le bras pour que je ne copie pas, elle met des cahiers droits entre nous deux, ça fait un petit mur. Elle est siphonnée cette quille, trente fautes en trois lignes et elle croit que je vais bigler sur ce qu'elle fait. Complètement prétentieuse.

Récréation. Je fonce dans l'allée.

— Eh bien, Laurent, qu'est-ce qui vous arrive ?

Incroyable ce qu'elle a la voix sèche cette bonne femme, ça claque comme un coup de fouet mais si elle croit qu'elle me fout la trouille, elle peut se rhabiller vite fait.

— C'est sonné, madame.

— Je ne suis pas sourde, ce n'est pas une raison pour vous précipiter.

Quand elle cause on dirait toujours qu'elle suce des bonbons. Gilles dit qu'elle est peut-être pas française. C'est peut-être une espionne comme James Bond.

Je sors avec les autres, lentement, comme si j'avais pas envie d'être dehors et de savoir s'il y a du neuf pour notre coup. Gilles s'est écarté et il attend, là-bas, sur les marches du préfabriqué.

— T'as été malade ?

— Ouais.

Il renifle. Je sens qu'il sait quelque chose mais il est comme ça, ce con, il aime bien faire attendre.

— J'ai vu Dédé, samedi.

Ça me fait un tourbillon dans l'estomac, avec un vide comme si j'avais pas pris mes tartines ce matin.

— Et qu'est-ce qu'il t'a dit ?

Gilles se tire sur le nez et reluque vers le coin des marelles des filles.

— C'est pour dimanche.

Bon Dieu. Ça, ça me fout plus la trouille que la mère Carpentier, ça, c'est du sacrément sérieux. Tout de suite après qu'il m'ait parlé, j'ai pensé à papa. Je sais qu'il n'y croit pas, qu'il s'imagine qu'on fait des jeux et qu'on est un peu dingues. Attends mon bonhomme, tu vas voir si c'est du flan notre histoire.

Parce que Dédé, c'est pas un petit. Il a quitté l'école depuis trois ans, il doit avoir dix-sept, dix-huit, il fume des américaines, il a des tee-shirts avec Indiana University écrit dessus, et des copains qui ont des motos. Lui non, c'est pas tellement son genre la Kawa, c'est un type calme et qui pense. Il travaille dans un garage, au-dessous de chez Gilles, c'est comme ça qu'il l'a connu. Il est gentil avec nous, il nous fait fumer des fois.

— Il a dit qu'il faudrait des montres, absolument. Tu pourras en avoir une ?

— C'est facile, comme c'est dimanche, je demanderais à mon père de me passer la sienne. Et puis s'il veut pas, je...

Non, il voudra, c'est sûr, il n'en a pas besoin ce jour-là. Je le regarde, il n'y a personne autour de nous, mais il parle du coin de la bouche comme si on était déjà en prison. Il m'énerve ce mec. C'est mon copain, mais il m'énerve. A un moment, il voulait que je l'appelle Joe et moi c'était Kid. J'ai pas voulu. On n'a plus six ans. Il triture sans arrêt quelque chose dans sa poche et je sais ce que c'est.

— Fais-la voir.

— Dédé a dit non.

Il doit y avoir une raison. C'est une précaution de plus, Dédé ne laisse rien au hasard.

— Elle est en fer ?

A son mouvement, je comprends qu'il la sort à moitié de sa poche et je me penche.

Elle brille comme un grêlon poli. Une bath de bille en acier.

Bon sang, pourvu que tout ça réussisse. Ça me fait des fourmis d'impatience dans les côtes.

— T'es sûr de pas louper ? T'as bien vérifié l'élastique ?

Il prend son air méprisant. Si on parlait pas de choses sérieuses, je lui balancerais la tarte.

— T'occupes pas, c'est au point.

Ça sonne, on n'aura même pas joué.

— Et les timbres, tu les as ? C'est le plus important les timbres.

— Il les donnera vendredi, à quatre heures et demie, mais il faudra pas lui parler.

Formid. Comme dans les films d'espionnage du Majestic. Jusqu'à la sortie, on fait une autre rédaction. « Quel animal aimeriez-vous posséder ? » J'aimerais bien un éléphant mais je sais pas où je le mettrais parce que dans un appartement, c'est pas pratique. Peut-être un petit chien, Franck voudrait bien maintenant qu'on n'est plus que deux, je lui demanderais et s'il est d'accord, j'en achèterais un avec de longues oreilles et tout soyeux, comme celui à Florence. Je pourrais me payer ça avec tous les sous que je vais avoir. Deux à trois briques au moins.

En tout cas, pour la rédaction, j'ai eu envie de dire que je préférais les araignées pour écœurer la mère Carpentier. Elle a une tête à pas les aimer, mais alors là, c'était la péno à tous les coups. Alors j'ai dit le kangourou, au hasard, j'ai marqué qu'avec un kangourou, je pourrais faire la boxe et pour aller en commission, je lui mettrais les biftecks et les yaourts dans la poche, etc., etc. Finalement, j'en ai mis une page entière. C'est moi qui ai fait le plus long. La mère Carpentier a engueulé Majhoul parce qu'il en avait mis trois lignes à peine. Elle est vache, elle ne se rend pas compte que c'est dur pour lui. Ça me révolte.

J'avais fini un peu avant les autres et j'ai pensé à tout ça. Au hold-up surtout. En fait, je ne pense plus guère qu'à ça et Gilles aussi, il me l'a dit. Dédé, on ne sait pas, on ne peut jamais savoir ce qu'il a dans la tête.

Enfin, tout se goupille bien. Je partirai vers midi et je dirai à Maman que j'ai paumé les tickets de métro et que j'y suis allé à pied. De toute façon, elle s'en fout. Ça ne sera pas long d'ailleurs il va falloir cinq minutes. Pas plus. Ce sera le coup de téléphone le plus long mais ça ira quand même.

DEDE-LUPIN

J'arrive à faire une seule pelure avec ma pomme.
Un jour, je m'étais entraîné avec un kilo entier, je
les avais toutes épluchées pour m'exercer, maman
avait crié en rentrant. Le père Franck mange devant
moi. Je me demande à quoi il pense. Je demande.

— Tu sais où c'est Bangkok ?

Alors là, je me marre. J'ai pas trop mal réussi
mon coup, il a l'air soufflé.

— Bien sûr que je sais où c'est, et toi ?...

Il est rusé comme homme, il croit que je lui dis
ça parce que je le sais pas moi-même, mais là, il se
trompe. Le temps de finir l'épluchage et je récite.

Capitale de la Thaïlande. 935 000 habitants, chantiers navals, industries alimentaires et ciment.

Je sais ce qu'il pense, je vois tout dans son
crâne : il sait que je confonds la Garonne avec les

Pyrénées et il se demande pourquoi je connais Bangkok comme ma poche.

— Où as-tu appris ça ?

— Dans le dictionnaire.

Complètement épaté le père Franck, il croit que je suis pas capable de grand-chose. Tu vas voir dimanche après-midi !

Il a l'air embêté comme quand il y avait maman.

— Et pourquoi as-tu cherché Bangkok dans le dictionnaire ?

— Parce que tu y vas, tu l'as dit l'autre jour.

Ça y est, il essaie de faire une pelure comme moi, parfois il cherche à m'imiter. Crac, loupé.

— Ça t'embête que j'aille à Bangkok ? Toi, tu seras en Ardèche, je m'ennuierais tout seul ici... Alors au fond, ça ne change rien...

— Pourquoi je dois partir avec Maman et l'Américain ? Puisqu'on est tout le temps ensemble, pourquoi on y est pas aussi pendant les vacances ?

Là, il a l'air de plus en plus embêté, comme quand j'ai été malade avec la fièvre et tout.

— Il faut un peu aller avec ta mère. Et puis tu m'as dit que l'Américain était sympathique... alors...

C'est vrai, c'est un type avec des taches partout, il fait des tableaux avec des couleurs qui dégoulinent, ça fait un peu sale, mais lorsqu'on regarde bien, on dirait qu'il y a des oiseaux et des yeux multicolores. Personnellement j'aime pas mais il apprend bien pour le ping-pong.

On partirait à Bangkok tous les trois, Jeanine et moi, on se baladerait et je ferais encore un petit hold-up là-bas alors elle tomberait amoureuse de moi parce que je serais poursuivi par les flics et que je me réfugierais chez elle avec mon pétard sous la veste et un peu blessé. On se ferait un bisou terrible mais moi je partirais pour que Franck n'ait pas de peine. Je ferais le sacrifice, quoi. Ce serait bien. Puis un jour, je reviendrais avec une voiture super et ils seraient vieux, alors je...

— Tu manges ta pomme ou tu gobes les mouches ?

Il est dur ce mec. On peut pas rêver avec lui, il brise tout.

— Je pensais.

Il rigole à présent. J'ai rien dit de drôle pourtant. A moins qu'il trouve qu'à dix ans je n'ai pas le droit de penser. Ça serait la meilleure alors. Il croit peut-être qu'il n'y a que lui qui pense. Attends dimanche et tu vas voir si j'ai pas un cerveau. Ce que je vais faire, tu en serais peut-être pas capable.

Me voilà couché.

Il a pas voulu que je regarde la télé « parce qu'il y a école demain ». Je ne proteste même plus, ça ne sert à rien. Je le laisse faire son cirque.

C'était pas terrible d'ailleurs, une histoire d'alpiniste et ça je déteste, vraiment ça me répugne, je sais pas pourquoi mais c'est con ces films, c'est incroyable ce que c'est con, avec leurs bonnets, leurs croquenots et leur ficelle, ça me rend malade tellement c'est con. Je ne ferais jamais d'alpinisme même si on me payait, même pas pour un million.

En tout cas, je suis content que jouer au tiercé ça ne soit pas bien. Au fond on ne vole personne puisqu'ils ont tort d'amener leur fric. C'est papa qui l'a dit.

Je m'achèterai un disque d'Elvis Presley et un poster. Ça fera bien dans la chambre. Un poster d'Humphrey Bogart quand il fait le gangster. Ça fera bien. Bien. Bien. Bien...

J'ai la trouille quand même...

Le voilà. Il traverse la rue.

Il a un beau costard avec la cravate, il fait pas du tout voyou, le Dédé.

Gilles me pousse du coude.

— On va lui demander si...

— Non, tu sais qu'il ne veut pas qu'on lui parle.

Il râle quelque chose que je ne comprends pas. J'ai la gorge sèche. Il nous regarde pas Dédé, il marche droit comme si le boulevard était à lui, il s'écarte même pas quand il y a une flaque, à chaque fois, plaf, la semelle en plein dedans.

Attention, plus que cinq mètres. Je ne bouge plus, le dos collé au mur, je souffle à Gilles.

— Parle-moi, on fait comme si on discutait...

Je vois Gilles qui cherche follement quelque chose à dire, il en devient violet. Mais trouve, bon Dieu, sors quelque chose, n'importe quoi.

Il fait un effort désespéré comme quand on court à la récré et il accouche enfin.

— Va peut-être pleuvoir...

Dédé est passé. Je l'ai même pas vu, juste une ombre, de l'air qui se déplace, mais ça y est, ça a suffi ; j'ai le carnet dans ma main.

J'espère qu'il a trouvé qu'on avait l'air naturel.

— T'aurais quand même pu trouver autre chose que ton histoire de pluie. Tu parles d'une idée.

Il se rebiffe.

— T'es bath toi, on a bien le droit de causer du temps qu'il fait.

A l'angle du jardin, il n'y avait personne, juste une mémé au coin qui se traînait un landau, comme elle avait pas l'air d'être de la police, on a pu prendre le risque de regarder le carnet. C'était des timbres avec une bonne femme dessinée dessus. Elle avait un bonnet avec un drapeau rond, bleu blanc et rouge. « Aidez-nous à vaincre le cancer. »

C'était un franc, le timbre. Il y en avait vingt.

Gilles s'est mis à rire.

— Ça m'étonnerait qu'elle t'en prenne un. C'est la vraie radine, elle est connue dans le quartier. Toujours à reluquer sur les pourliches.

J'ai mis le carnet dans ma chemise. Faut que je le planque jusqu'à dimanche, et après, je dois le brûler dans les waters. C'est la consigne.

On est allé dans notre coin, près du rocher, il n'y a personne.

— Ecoute, dit Gilles, tu vas croire que c'est Léon Zitrone. Il se concentre et tout d'un coup il lâche : « Allô, c'est madame Mercadier ? C'est vous la propriétaire du tabac le Maryland ? »

Il est formidable, je sais pas où il va chercher une voix pareille, on dirait qu'il a du fer dans la gorge, deux blocs de ferraille qui se frottent. Il est célèbre pour ça Gilles. J'ai essayé de l'imiter, mais c'est minable, lui, on dirait que c'est une voix naturelle, on croirait un vieux de quatre-vingt-dix ans qui parle. Il fait ça avec son ventre. Ça remue quand il cause.

— On joue ou tu rentres ?

Une petite partie d'osselets rapide et je rentre.

Gilles est assez fort aux osselets, presque autant que moi mais quand même pas.

On se connaît depuis le préparatoire. C'est marrant parce qu'au début, je pouvais pas l'encadrer, je le trouvais crâneur et même une fois on s'est battus. Et puis je sais pas comment ça s'est fait mais on n'a plus joué qu'ensemble.

C'est un as pour les grimaces, il sait imiter la mère Carpentier et le Dirlo. Papa dit qu'il fera du cinéma. Moi, je ferai peut-être de la télé aussi, ou alors je continuerai à faire des hold-up mais je ne crois pas car on peut se faire prendre.

— Salut.

Il me serre la main.

— Dans deux jours, dit-il. Par moments, je fais dans ma culotte.

Je l'oublierai jamais ce mec. Je trouve que c'est bien de dire des choses comme ça, parce qu'il dit vraiment ce qu'il pense.

— T'inquiète pas, on n'est pas armés, alors on ne risque rien. T'iras pas en prison pour un carreau cassé et on ne saura jamais que c'est toi puisque t'as pas de lance-pierres.

— Je l'ai mis sous le matelas, dit Gilles, j'ai eu du mal à couper l'équerre.

— Comment t'as fait pour la poignée ?

— J'ai cloué un double décimètre. Heureusement que mon père est bricolo, il a tout ce qu'il faut dans la caisse à outils.

— T'as fait des essais ?

— Ouais, à vide. Ça va au quart de poil, je peux pas louper. J'ai attaché l'élastique. Tout de suite après je l'enlève, je le fous aux ordures avec l'équerre cassée et je récupère le double décimètre.

Il vaut deux francs cinquante, je vais pas le balancer...

Tout est paré cette fois. Ça peut pas louper.

On s'est quittés sans rien se dire mais avec un regard dur.

Ça me frétille partout et ça va frétiller encore pendant deux jours.

J'ai pas encore expliqué comment on a connu Dédé. C'est au Mono de la rue Maurier. (Pas celui où on a chouravé mon jean avec Franck, un autre.) J'arrivais avec mon filet et les bouteilles vides de soda pour la consigne et il est sorti d'un porche, tout sympathique, tout souriant, tout bien coiffé, un peu comme le type qui joue de la guitare dans Rio Bravo et il m'a dit : « Excuse-moi, tu veux me rendre un service ? » Ce qui m'a plu, c'est qu'il m'a dit « Excuse-moi ». C'est rare dans le quartier, c'était vraiment gentil et j'ai dit oui. Alors il m'a dit de prendre pour lui une bouteille de whisky, celle où il y a un chien noir sur l'étiquette et de la mettre dans mon panier avec mes deux sodas. Je me suis mis à rire et je lui dis que j'avais pas les sous parce que ces bouteilles-là, je sais que c'est cher. Il a ri encore plus fort et m'a dit : « T'en fais pas, tu passes à la caisse numéro quatre. C'est une fille brune avec un grand peigne dans les cheveux, ça va aller tout seul. »

Je suis entré et j'avais pas mal le trac devant les rayons. Finalement, j'ai mis la bouteille dans le panier et je suis passé à la caisse quatre et j'ai vu la brune. Elle était toute peinturlurée avec du noir sur les yeux et des ongles verts. Je trouve ça affreux. J'ai mis les trois bouteilles sur le tapis roulant, elle a tapé sur sa machine, j'ai mis les bouteilles dans le filet et elle m'a dit : « Trois francs vingt-cinq. »

J'ai payé et je suis sorti comme une fleur. J'ai retrouvé Dédé un peu plus loin, on s'est promenés un peu et trois rues plus loin je lui ai filé la bouteille. Il l'a mise dans son blouson et il m'a donné cinq francs en me disant merci. Ça, ça m'a encore plus soufflé que lorsqu'il m'a dit « Excuse-moi ».

J'ai pensé alors qu'à ce tarif-là, je pouvais faire le va-et-vient plusieurs fois par jour et qu'à cinq francs la bouteille, je pouvais m'arrondir drôlement la tirelire mais il a dit qu'il regrettait et qu'il n'employait jamais deux fois le même personnel. Ça, ça m'a sacrément impressionné aussi. J'ai tout de suite compris que c'était le type prudent et rusé. J'ai demandé pourquoi la fille ne m'avait pas fait payer et j'ai bien vu qu'il ne voulait pas trop parler parce qu'il a simplement dit : « C'est une copine. » J'ai remarqué :

— Elle est drôlement peinturlurée.

— Je trouve aussi, tu vois, on a les mêmes goûts.

Il m'a serré la main et on est partis chacun de notre côté.

J'ai eu envie de raconter ça à Franck, mais il était mal luné, c'est un soir où il y avait pas longtemps que Maman était partie avec Bill et finalement je lui ai rien dit.

Ce qui a été le plus marrant dans tout ça, c'est que trois jours après, à la récré, Gilles m'a dit : Tu sais pas ce que j'ai fait hier ? J'ai fauché une bouteille de whisky : celle où il y a un cheval dessiné sur l'étiquette.

Comme il faisait son crâneur, je lui ai balancé :

— T'es passé devant la fille avec de la peinture verte sur les ongles ?

Ça, ça l'a scié.

— Tu connais le truc ?

— Un peu.

En fait, il en savait plus long parce qu'il est presque voisin avec Dédé. Il a dit qu'il y avait pas de risques parce que la nana changeait de caisse tous les jours et qu'on pouvait pas la repérer et le plus fort, c'est qu'ils ont mis des types dans le magasin pour surveiller si les voleurs planquaient pas les bouteilles sous leurs vestes. Le cirque, quoi. Le seul truc qui m'ait déçu, c'est quand Gilles a dit : « La fille à la caisse, c'est la poule à Dédé », mais j'ai pensé qu'elle était peut-être pas mal quand elle avait plus sa peinture.

C'est comme ça que j'ai connu Dédé. Et plus je le connais, plus je vois qu'il est intelligent et gentil, il nous refile toujours des trucs. Son histoire de whisky, c'est fini depuis longtemps parce que lui, son principe c'est qu'il ne faut pas pousser. « Si tu pousses, tu tombes. » C'est sa devise. Le coup du whisky par exemple, il l'a fait une semaine, s'est arrêté une semaine, l'a refait une semaine, s'est arrêté et quand il a eu ses deux douzaines de bouteilles, fini. Terminé, on passe à autre chose. Et en plus, comme il boit pas, il a tout revendu.

Il est intéressant à causer, même quand il était plus petit que nous, il faisait des trucs, par exemple, il achetait un carnet de tickets de métro à Saint-Lazare, là où il y a du monde, il se pointait à la queue et il disait « personne veut m'acheter un ticket ? » avec l'air malheureux, alors les mecs ils lui achetaient son ticket au prix normal pour un ticket, ils y perdaient rien et ça leur faisait gagner du temps, mais lui qui les avait achetés par carnet, il avait eu la réduc et ça faisait un bénéfice. Avec le fric, il rachetait un autre carnet et c'est comme ça qu'il passait son jeudi le Dédé. A huit heures du soir il pouvait plus marcher tellement il avait des pièces dans les poches.

Et il connaît tout plein de trucs comme ça. C'est un type qui . serait tout seul dans le désert, il arriverait quand même à monter un arnaque.

On le voyait plus beaucoup ces temps derniers et quand il est revenu, il nous a proposé le coup du tiercé. Alors ça, c'est rudement fort et si en ce moment je parle, je parle, c'est pour pas que j'y pense trop.

Ce qui montre qu'il est fort le Dédé c'est qu'il est drôlement estimé, parce qu'il fait pas voyou avec les cheveux longs, les bottes et tout ça, pas du tout, il met des cravates, il est bien propre, au garage, il se débrouille drôlement bien et il a certainement la confiance du patron parce qu'il m'a dit un jour. « Si ton père veut de l'huile Shell multigrade SAE 2 000, tu peux lui dire que j'ai la possibilité de lui faire un prix intéressant. » Il s'exprime bien en plus.

Dans le coup de dimanche, tout est prévu dans les détails. L'important c'est le chronométrage mais ça il y a pensé. Ce que j'ai trouvé le plus génial, c'est le coup des jumelles. Gilles a eu onze ans il y a trois semaines et Dédé a dit : « Qu'est-ce que tu demandes pour ton anniversaire ? »

Bêtement, Gilles a dit : « une winchester » ça je le savais parce que j'en voulais une aussi et Franck a fini par me l'acheter quand j'ai été malade. Alors Dédé a dit, mine de rien : « Pourquoi tu demandes pas des jumelles ? » C'était génial comme idée parce que Dédé il en a des jumelles mais ça aurait été compliqué de les apporter, la mère de Gilles aurait pu les trouver, en faisant la chambre, c'était dément comme histoire, tandis qu'avec ce coup-là, c'est le père à Gilles qui les lui a offertes et comme ça, il peut surveiller de sa chambre ce qui se passe dans le café puisqu'il habite juste en face. Génial !

Un mercredi après-midi je suis allé chez Gilles, pour jouer soi-disant, sa mère était là et il a fallu que je lui dise qu'il était sage en classe et qu'il bavardait jamais, etc., etc. il était vert le Gillou, il en pouvait plus, et moi j'arrêtais pas de mentir, mais ça lui a fait plaisir à la mère à Gilles et il a fallu qu'on goûte dans leur salle à manger toute brillante et qu'on bouffe des saloperies de gâteaux secs avec du chocolat chaud et pas un seul coup de Pschitt orange. Absolument dégueulasse, enfin l'essentiel c'est que lorsqu'on a été dans la chambre, on a mis les *Rolling Stones,* on a sorti le jeu de petits chevaux et on a fait le plan de la maison sur une feuille de cahier à petits carreaux. C'était facile : il y a le tabac en bas et l'appartement au-dessus au premier étage. Et toutes les pièces sont alignées face à la rue. Les deux fenêtres les plus à gauche, c'est la chambre. C'est sûr parce que la mère Mercadier laisse ses draps et ses couvertures sur l'appui. Après c'est la salle à manger qui a deux fenêtres aussi et à droite c'est la cuisine. C'est ce carreau-là qu'il faudra que Gilles descende. On a dessiné le plan à la règle, bien propre, on a marqué « cuisine, chambre, salle à manger », on a fait les fenêtres et on a colorié les rectangles, après on a arrêté les Rolling Stones parce qu'à haute dose ça casse les pieds et on s'est bagarré sur son plumard. Il a pris sa volée comme d'habitude malgré qu'il ait essayé de faire le traître et on a filé le plan à Dédé le soir même.

Maintenant ça sert à rien d'être énervé, ce qu'il faut se dire c'est que dimanche on est plein aux as Franck et moi et que je pourrai aller à Bangkok avec lui. J'ai vu des affiches l'autre jour, près de la rue Marcadet : une bonne femme toute jaune tend des verres pleins de limonade de toutes les couleurs et derrière c'est la mer et les palmiers, et surtout des éléphants. Ça les éléphants je donnerais cher pour en voir parce que, c'est quand même bizarre, j'en ai jamais vu en vrai. Souvent au ciné ou à la télé, mais en vrai, jamais. Franck doit m'amener au zoo un jour mais avant qu'il ait le temps, j'ai le temps d'attendre.

C'est demain.

Cette fois ça y est, demain à cette heure-ci, on sera riches. J'ai fait le dernier achat tout à l'heure : une paire de lunettes de soleil, j'ai pas trouvé moins qu'à sept francs et ça m'a ruiné complètement mais ce qui est bien c'est que j'ai même pas eu à casser les verres, en appuyant avec les pouces, ils sont partis tout seuls. J'ai une drôle de tête avec quand je me regarde devant la glace, je ressemble à Drossart du cours moyen deuxième année. Si j'ajoute à ça ma casquette à visière, on me reconnaît plus du tout. C'est ce qu'il faut bien sûr. Dédé a dit qu'il fallait bien que je rentre mes cheveux dedans pour qu'on ne sache pas si je suis blond ou brun. En rentrant je dois tout jeter dans la poubelle. Ça fait sept francs de foutu plus la casquette mais je ne la mets jamais alors c'est pas grave.

Je ne vais pas au square cet après-midi. Il vaut mieux qu'on se voie pas Gilles et moi, on pourrait pas jouer vraiment, ça ne servirait à rien.

Franck travaille sur un feuilleton et il m'a dit qu'il rentrerait tard parce que les boîtes de films n'ont pas été numérotées et il y en a plus de cent.

Je peux pas non plus aller voir travailler Dédé au garage, ça ne serait pas prudent. Alors je m'ennuie.

J'ai des devoirs mais j'ai la flemme de les faire, Franck sait de toute façon que je les fais toujours en rentrant de chez ma mère le dimanche soir.

Si je jouais un peu à l'épée ? Ça ne me dit pas grand-chose non plus. Avant, je jouais souvent à D'Artagnan, tout seul, tagadam — tagadam, pif — paf, j'embrochais tout le monde, c'est comme ça que j'ai cassé un des vases... Mais aujourd'hui, j'ai pas le moral. J'ai pas faim non plus. Pourtant j'ai plein de tablettes de chocolat dans le placard. Et puis j'ai pas soif et pas envie de lire.

J'ai envie que Papa soit là. Je lui dirais tout et il ne voudra pas que j'y aille et alors tout sera foiré. Dédé et Gilles seront furieux mais je dirais qu'il se doutait de quelque chose et qu'il m'a fait des tortures pour que je parle et que finalement j'ai cédé.

Bon Dieu, il faut pas que je pense à des choses comme ça.

Si je veux partir avec lui à Bangkok, il faut pas que je lui dise ce qui va se passer demain.

J'ai pas envie de regarder la télé et je sais pas quel disque mettre.

Si je mourais d'un coup : clac, un arrêt du cœur, il n'y aurait plus de hold-up. Voilà, je suis mort, on m'a trouvé sur le tapis, allongé, tout vert. Toute l'école à mon enterrement, avec la mère Carpentier en noir, encore plus moche que d'habitude...

J'ai la trouille.

DIMANCHE - MORNING

Dimanche, 11 heures 5. C'est aujourd'hui.

Les timbres sont dans ma chemise. Je les sens contre ma peau.

A l'intérieur du blouson j'ai ma casquette pliée à plat et les lunettes sans verre dans ma poche revolver. J'ai la montre que Franck m'a prêtée et je l'ai mise à l'heure juste. Tout est paré. Je me sens mieux qu'hier, ça me remue beaucoup moins dans l'estomac et je me sens plus léger. Finalement j'ai mieux dormi que je pensais. Je suis aussi content qu'il fasse beau. Il y a un soleil formidable ce matin et on dirait que les feuilles ont poussé dans la nuit. J'ai mangé mes deux tartines.

— Tu as tes tickets de métro ?

— Oui, ça va, j'ai tout ce qu'il faut.

Franck s'agenouille et m'embrasse. Faut pas que je pleure.

— Ciao Bambino. A ce soir.

Je sais que ça l'embête que je le quitte tous les dimanches, et moi aussi ça m'embête mais ils se sont arrangés comme ça... alors...

— Ciao, Papa.

Je lui fais salut avec la main sur le palier et je descends. Encore une heure dix avant le début des opérations.

Il ne faut pas que je m'écarte trop mais il ne faut pas non plus qu'on me voie dans le quartier. Je prends par la rue du Canal. C'est un coin triste, on y joue quelquefois parce qu'il y a de la place mais l'eau sent mauvais l'été, c'est plein de trucs pourris qui surnagent... Quelques enfants, ce matin. Moi je n'en suis plus un. Quand on fait ce que je vais faire, on n'est plus un enfant, parce qu'il y a plein d'adultes qui le feraient pas, qui se dégonfleraient. Bill le ferait pas, c'est sûr. Le Dirlo le ferait pas. Franck le ferait peut-être. Oui, il le ferait s'il voulait mais il connaît pas Dédé, alors il ne peut pas le faire.

Rue Cordier. Il y a la queue au tabac, jusque dehors. C'est pour le tiercé là aussi. C'est bête que vous soyez là les gars, vous auriez dû payer quatre rues plus loin, au café Mercadier, ça m'aurait fait un peu plus de galette, mes petits potes.

Sur le trottoir c'est plein de petits bouts de papier à moitié ronds comme ceux qu'on se lance au carnaval, je sais plus comment ça s'appelle. C'est les gens qui jouent qui font des trous dans leurs tickets. Je marche toujours. C'est fou ce qu'il fait beau, j'en ai chaud dans mon blouson. Plus de cinquante-cinq minutes encore. Ça ne passe pas vite.

C'est drôle comme tout devient net plus le moment approche. Je suis sûr que quand je serai vieux, que j'aurai trente ans et plus, je me souviendrai encore de la tête de cette bonne femme qui pousse un landau et qui traverse devant la mairie...

Si je marche tout le temps je vais être crevé et si je m'assois sur un banc, ça va faire drôle, je pourrais attirer un flic et ce serait : « Et qu'est-ce tu fais là ? Et pourquoi tu n'es pas chez toi, et patati, et patata... »

Il faudrait que je voie si j'ai l'air dur.

Je suis sûr que j'ai l'air dur. Ce que je voudrais c'est un imperméable, avec une ceinture et le col qui se relève. Ça j'aimerais mais ça se fait pas pour les dix ans. Encore un truc con.

Si je récitais des récitations ? Elle est casse-pieds avec ses récitations la mère Carpentier, toutes ces poésies à savoir par cœur, c'est le martyre.

Je vais pas regarder ma montre avant le coin de la rue. Non, jusqu'à la boulangerie. Presque onze heures et demie, à deux minutes près. Ça approche.

Un mois qu'on en parle de ce moment-là. J'aimerais bien avoir un chewing-gum, ça me donnerait l'air plus dur.

« Le vase où meurt cette verveine, d'un coup d'éventail fut fêlé... »

Comment c'est après, déjà ? Je la savais pourtant, j'ai eu une bonne note pour celle-là, Gilles me soufflait derrière mais ça servait à rien parce que je la savais.

Je tourne au métro, et je remonte par la rue du marchand de jouets pour que...

Merde, c'est Saccard.

Il est avec sa mère. Il m'a pas vu mais j'ai eu

peur. Il revient de la messe. Ce serait la tuile qu'il m'ait vu...

Quoique je pourrais trouver une excuse mais ça compliquerait.

Qu'est-ce qu'il fait chaud : les timbres vont être tous collés.

Je ralentis pour qu'ils prennent bien de l'avance. Qu'est-ce qu'elle est moche la mère à Saccard, il n'a pas son père, lui, c'est l'inverse de moi, mais je suis un peu plus gâté, Franck, c'est autre chose que cette mémé, je suis sûr qu'elle doit être vachement sévère. Il me l'a dit d'ailleurs : chez lui il peut même pas regarder la télé parce qu'elle en a acheté une avec une clef pour pas qu'il puisse ouvrir, quand il a été sage et qu'il a fait tout son boulot d'école alors là, crac, elle ouvre un moment pour qu'il voit nounours ou une connerie de dessin animé, et après elle referme aussi sec. Il est pas jouasse le Saccard.

C'est pas avec elle qu'il pourrait boxer.

On a fait un bon combat avec Franck la dernière fois, je lui ai mis un vrai pain dans l'œil et ça m'a fait peur, j'ai cru qu'il était aveuglé. Parfois je sens pas ma force.

Midi moins vingt. Alors là, ça a passé vite, plus de dix minutes d'un coup.

C'est tout gras au creux de mes mains.

Les parents de Gilles ont dû partir à présent. Il doit guetter déjà par la fenêtre et lui aussi, je suis sûr que ses mains sont toutes huilées à l'intérieur. Je suis sûr aussi que Dédé se bile pas. Il a fait plein de cambriolages dans des villas abandonnées, il peut ouvrir toutes les portes s'il veut, il a l'habitude.

Voilà le magasin de jouets. On voit pas bien parce que le soleil tape dans la glace et puis ça ne m'intéresse pas beaucoup aujourd'hui les petites voitures et les ballons de foot.

« Le vase où meurt cette verveine... » Oh, et puis merde.

Je suis sûr qu'à Bangkok, il y a moins de soleil que ça.

J'aimerais vraiment avoir un chewing-gum.

Qu'est-ce qu'il y a comme bonnes femmes qui passent avec des paquets de gâteaux ! La boîte blanche ficelée avec un ruban qui fait des boucles... Tout le monde va bouffer des gâteaux à midi, la ville entière. Personnellement, j'aime pas trop. Les glaces d'accord, mais le reste, les mokas, les crèmes, ça m'écœure.

Après l'épicerie, il y a une cour où un type bourre des matelas. C'est bien comme endroit, il y a des voitures dans le fond, toutes déglinguées, mais on peut monter dedans et changer les vitesses, on est assis sur les ressorts mais c'est bien, la concierge nous a vidés une fois parce qu'on faisait du bruit, elle nous a causé en criant garnements, voyous, et tout ça. Si je la retrouve celle-là, je lui ferai payer. Faut que j'y aille. Cette-fois, j'y suis. Il est presque moins cinq.

Ça me fait une envie de pipi, tout d'un coup, comme après la limonade. Pourtant j'ai rien bu et j'ai fait avant de partir mais j'ai plus le temps, il y a pas de pissotières dans le coin et à cent mètres, c'est le Maryland, juste à l'angle de la rue.

LE GRAND COUP

J'avance. Gilles doit me voir à présent. Il doit guetter avec les jumelles, dans le fond de sa chambre pour qu'on ne le voie pas de la fenêtre.

Il doit admirer mon air calme et sûr. Je marche normalement, pas trop rapide, pas trop lent, je suis impassible comme Bogart.

Pas de Dédé, mais c'est prévu. Bon Dieu ce que c'est vite fait cent mètres, j'y suis déjà. Il y a des clients au comptoir, pas beaucoup mais je ne veux pas regarder trop derrière les vitres, juste un coup d'œil de biais.

Voilà le porche. Entre Toto, entre. Gilles a dû commencer à compter.

La casquette d'abord. Voilà. A présent les lunettes. Je monte. Ça pue les choux dans cet escalier, la peinture est tout écaillée et la rampe bouge un peu entre mes doigts.

Je suis devant la porte, les timbres à la main. Ça se décroche dans mon estomac.

Ding. Dong.

C'est doux comme sonnette, pourvu qu'elle ait entendu... qu'elle ne soit pas aux waters ou dans la baignoire ou n'importe quoi... Dédé... s'il ne venait pas...

Je peux plus avaler, ça me cogne dans la poitrine, je vais redescendre, je ne peux plus attendre, c'est fini, c'est loupé, je...

La porte s'ouvre.

J'ai vu les bigoudis sous le foulard, de gros bigoudis ronds tout en fer, elle a une tête pointue avec des yeux striés qui cherchent trop haut et qui s'abaissent vers moi.

— C'est pour voir si vous voulez pas acheter des timbres pour le cancer, c'est un franc...

J'ai autre chose à dire mais je ne sais plus... Mais qu'est-ce qu'il fait l'autre abruti avec son élastique...

Elle me regarde comme si j'étais un client qui ne veut pas payer.

— Des timbres pour quoi ?

— Pour le cancer, c'est à l'école que...

Je m'entends parler et je n'ai pas la même voix que d'habitude.

— On passe dans les immeubles, alors si vous voulez...

Ça a éclaté derrière elle comme un coup de fouet. Elle me regarde toujours tandis que la vitre descend. Elle réagit à retardement. Elle glapit :

— Mais qu'est-ce que c'est que ce bruit ?

Elle se retourne d'un bloc et fonce dans le couloir, je vois sa robe de chambre et la semelle de ses savates et aussitôt, il y a un souffle contre ma joue et une ombre qui me coupe la lumière et qui disparaît par l'entrebâillement, ça y est, Dédé est dans la place. La mère Mercadier s'exclame. Il y a une autre voix qui répond, mais plus lointaine, mêlée aux bruits de la rue. Une voisine à la fenêtre, elles doivent discuter, j'entends mal ce qu'elles disent, j'entends « courant d'air »... « mur du son »... Elle n'a pas dû retrouver la bille ou alors elle est retombée dans la rue.

La porte est toujours ouverte, je suis toujours planté sur le paillasson, mais je ne dois pas bouger... surtout pas.

Bon Dieu comme c'est long. Tout marche, pour le moment tout marche, mais l'autre salaud a attendu trop longtemps pour tirer, j'ai bien cru qu'elle allait dire non, j'en veux pas de tes timbres et refermer avant que le carreau pète.

— Tu es encore là, toi ?

Je ne l'avais pas vu venir, ma glotte se bloque mais par réflexe, je lui tends le carnet.

— C'est un franc, c'est pour le cancer, et...

— J'en vends toute la journée, moi, des timbres, c'est pas pour en acheter, on ne sait même pas où l'argent va.

La porte me claque au ras du nez et j'entends qu'elle donne un grand coup de verrou. Quelle voix criarde elle a cette bonne femme. Attends ma vieille, tu vas payer ça.

Je redescends, tranquille, les cinq marches et j'enlève la casquette, les lunettes. Les timbres dans la poche. Je repasse le porche et voilà la rue comme un trou jaune dans lequel je tombe. Ça tangue un peu soudain, comme l'année dernière sur le bateau pour l'île de Ré. Je vais pas m'évanouir quand même... Je vais prendre la ruelle, faire le tour et passer chez Gilles par la deuxième entrée sur le côté. Ça me bat encore dans les côtes, moins fort mais ça fait encore un bruit qui me remplit les oreilles, ça vibre le tympan.

Mon Dieu, faites que tout marche bien, ce serait terrible d'être allé jusque-là et que ça foire maintenant...

Je n'ai pas le temps de frapper à la porte qu'il m'ouvre déjà. On se regarde. Ça se voit qu'il est drôlement énervé.

— Qu'est-ce que tu foutais avec ton lance-pierres ? Fallait que je fasse des discours moi sur le palier...

Il a un grand geste pour balayer mon reproche et puis il va s'asseoir en tailleur sur son lit, tout pelotonné, tout misérable.

— J'arrivais pas à viser, ça tremblait de partout... Même maintenant, regarde.

C'est vrai, qu'il a encore les mains qui flageolent le Gillou.

— C'est les chocottes, dis-je, c'est rien. Où on pisse chez toi ?

Il me montre les waters. Très bien d'ailleurs, tout parfumé, tout moderne, tout rose, même le papier qui est assorti. J'ai presque pas fait, quelques gouttes à peine, pourtant j'avais envie.

Du pouce Gilles me montre la fenêtre de l'autre côté de la rue.

— Bon Dieu, dit-il, quand je pense que le Dédé est là-dedans.

— T'en fais pas pour lui, c'est un rusé.

Il me regarde et j'ai presque l'impression qu'il va pleurer, je sens que la panique me monte aussi.

— C'est de la connerie, ce truc-là, chevrote-t-il, suppose qu'il ait pas pu se glisser sous le lit, que ce soit pas assez haut...

J'essaie de réfléchir calmement mais avec l'autre qui se tortille dans tous les sens à côté de moi, ce n'est pas possible, il rendrait fou un régiment.

— Il se mettra dans le placard, et puis ils ne vont pas rentrer dans la chambre à midi, qu'est-ce qu'ils auraient à y foutre...

Il faut changer de sujet.

— T'as démonté ton lance-pierres ?

— Ouais, ça y est.

— Et toi, ta casquette, tes binocles, et tes timbres ?

Je lui dis que je les ai balancés dans le caniveau de l'impasse, mais ça n'a pas l'air de le rassurer. Il rampe le long du mur, prend ses jumelles d'anniversaire et grimpe sur un tabouret.

— Bon Dieu, gémit-il, il y a deux clients au comptoir qui ne partent pas, ils discutent avec Mercadier. D'habitude il a déjà tiré le rideau de fer, à cette heure-là.

Il faut que j'aille voir ça. Je commence à ramper sur le parquet comme les Sioux avant l'attaque du convoi.

— Te montre pas, bon Dieu, te montre pas !

— Fous-moi la paix.

Il va se bouffer tous les ongles cet animal.

Je passe un œil juste au coin de la fenêtre. A travers le rideau on ne peut pas me voir. C'est vrai, en contrebas, on aperçoit les jambes de deux types debout près du comptoir.

Ce qui est terrible, c'est qu'il y en a un qui les a croisées comme quelqu'un qui a tout son temps et qui ne va pas partir avant des années...

— Fous le camp, implore Gilles, fous le camp.

Il me rend nerveux aussi ce mec... On peut pas faire autre chose qu'attendre de toute façon. Je propose :

— On fait un Monopoly ?

Il a failli en tomber par terre.

— T'es complètement dingue, toi avec ton Monopoly !

Je crie aussi fort que lui et même plus.

— C'est toi qu'es dingue, qu'est-ce que tu veux qu'on fasse d'autre, on va pas descendre dire à ces deux mecs de partir pour pouvoir mieux piquer le fric du PMU !

Gilles sautille autour de moi, il fait des petits bonds furieux.

— On va se faire piquer, lance-t-il, ils vont piquer Dédé et il va parler, il va dire qu'on était avec lui, qu'on est des complices, il va cafter et alors...

C'est le bruit de ferraille qui l'interrompt, un grand bruit tremblé comme un avion qui dégringole et j'ai sauté en l'air sans quitter Gilles des yeux. Il a glissé le nez et dit :

— C'est le rideau de fer. Il vient de fermer.

Je ne sais pas pourquoi, mais c'est à ce moment-là que j'ai commencé à y croire absolument. Avant, j'espérais mais je ne savais pas vraiment. Là, soudain, c'était différent. On allait réussir. Les yeux vissés à ses lorgnettes maudites, Gilles dit :

— Je vois le père Mercadier, il vient de monter.

— Fonce.

Il a dégringolé de son escabeau et couru vers le

téléphone sur la petite étagère à l'entrée mais comme la mère à Gilles cire son linoléum sans arrêt, il a ramassé un gadin terrible, je l'ai vu patiner dans le vide avant de retomber, mais c'était pas le moment de rire. Je lui ai crié de faire le numéro et j'ai entendu tout de suite le bruit du cadran.

Ça a dû sonner en face aussitôt parce que j'ai vu le Mercadier qui passait devant la fenêtre et allait dans le fond et presque au même instant, j'ai entendu la voix de Gilles comme si c'était Zitrone qui était à côté.

« Allô, c'est monsieur Mercadier ? C'est vous le propriétaire du tabac le Maryland ?... Je vous signale qu'il y a un homme qui est en train d'essayer de soulever votre rideau de fer. Vous devriez descendre. »

J'ai dû toucher la vis à ce moment-là parce que ça s'est brouillé et les fenêtres en face ont disparu et puis quand c'est redevenu net, j'ai vu le crâne de Mercadier, tout proche, il se penchait le plus possible pour voir en dessous mais ça aussi c'était prévu : avec la gouttière et le rebord du magasin qui avance un peu, on peut rien voir en bas.

— Qu'est-ce qu'il fait ?

Gilles piétinait sur place en frottant ses fesses qui en avaient pris un coup.

J'ai regardé encore. C'est là que ça se décidait. J'ai vu des ombres derrière les rideaux, une porte s'ouvrir et se refermer et puis plus rien.

A présent Dédé devait être seul dans l'appartement. Seul avec le fric du tiercé que le père Mercadier avait remonté chez lui après la fermeture pour le mettre à l'abri.

Gilles soupire comme s'il gémissait. Je ferme les yeux et j'essaie de suivre les Mercadier en imagination. Ils ont fermé le verrou derrière eux. Ils descendent pas trop rassurés et vont sortir pour vérifier si le coup de téléphone a dit la vérité. Pendant ce temps, Dédé trouve les sacs, sort, descend derrière eux et se tire. Ça doit se passer comme ça. Ça doit. J'ai pas fini de penser qu'il devait apparaître, qu'il est apparu. Toujours impec, avec sa cravate, ses chaussures cirées, son falzar à pli et son sac de sport sur l'épaule, mais nous on savait ce qu'il y avait dedans.

Le plus marrant, c'est qu'il est passé devant les Mercadier le Dédé, tout tranquille, comme s'il allait faire son petit match de foot du dimanche. Ils l'ont même pas vu, ils discutaient entre eux.

On s'est regardés Gilles et moi et on est devenus tout doux à l'intérieur, tout paisibles, ça s'est détendu comme à la gymnastique quand on arrête de faire un mouvement difficile qui fait mal. Je lui aurais bien serré la main pour faire comme dans un film de hold-up que j'ai vu mais j'ai pas osé.

J'ai pensé alors que j'allais être sacrément en retard chez maman et j'ai regardé ma montre, ça m'a soufflé qu'il ne soit que midi vingt-cinq. Tout avait été drôlement vite.

— Faut que je m'en aille.

Il a rien dit et il a été avec moi jusqu'à la porte.

— Salut.

— Salut.

On n'avait pas besoin de dire autre chose : on avait gagné.

J'irai à Bangkok.

JESUS LA BARBOUILLE

— Pourquoi tu arrives si tard ? Elle m'a demandé ça avant de dire bonjour. Elle avait sa tête qu'elle a quand elle me gronde. Heureusement, Bill a dit aussitôt :

— Viens voir les peintures.

J'ai dit comme prévu :

— J'ai perdu les tickets de métro et je suis venu à pied.

Comme ça fait un bout de chemin, ils ont trouvé ça normal, elle a quand même ajouté que je pourrais faire attention à mes affaires mais elle m'a cru ce qui était le principal.

J'ai regardé les nouveaux tableaux qu'il avait faits dans la semaine, il fait toujours pareil, des grandes giclées et des petites gouttes partout, il m'explique des choses avec un accent formidable et je n'y comprends rien. J'ai mangé ma pizza froide et elle m'a dit que ça m'apprendrait à être en retard.

Le temps dehors s'est couvert, le soleil a disparu et c'est devenu un peu gris violet et en fin de compte on n'est pas sortis.

Je n'ai presque plus pensé au hold-up du matin. Tout cela était vieux déjà, vieux comme le monde.

Bill m'a emmené dans la pièce où il y a la verrière et tous ses tableaux. C'est celle que je préfère. Il s'est mis à barbouiller une sorte de colle blanche sur un panneau d'isorel et il a dit :

— Si tu veux en vacances, tu feras de la peinture avec moi.

Je m'embêtais un peu et il a dû le sentir parce qu'il s'est arrêté, le pinceau en l'air.

— Tu n'aimes pas la peinture ?

Je n'y ai jamais pensé. On me demande souvent ce que j'aime et ce que je n'aime pas et je n'en suis jamais vraiment sûr. Dans un sens, j'aime bien la peinture et dans un autre non. Je trouve que Bill fait de la peinture qui lui ressemble : un peu sale, un peu tachée, et puis c'est flou aussi comme son visage. Avec sa barbe, ça fait drôle, ça fait comme une photo pas nette. Je ne sais pas ce que Maman lui trouve. Je sens qu'avec lui, je peux faire ce que je veux, pour ça, il est pas embêtant. Il dit qu'il faut que les enfants fassent des expériences et s'il me voyait descendre une falaise à pic, il dirait que c'est bien, au fond on ne peut pas compter sur lui. Des fois, il sent un peu mauvais aussi.

C'est l'essence pour nettoyer la peinture qui fait ça.

— Tu es content de venir en Ardèche ?

Alors là, mon pote, si tu crois que je vais y aller...

Je n'ai pas répondu et j'ai tapé un peu sur le tambourin qui est derrière la porte. C'est une maison pour les artistes, il y a des coussins avec des grandes fleurs et des posters partout, des femmes nues comme dans les films du Majestic mais c'est différent elles ont des chignons et ça fait ancien, mais elles sont vraiment nues, ça, on ne peut pas dire le contraire. Je regarde Bill préparer ses couleurs : il les écrase avec de l'huile sur un truc en marbre, on dirait qu'il tourne la salade. C'est un drôle de type parce que lorsque je venais les dimanches au début, il devenait tout rouge quand il me voyait, il était gêné comme tout, et puis après, ça lui a passé.

— Tu aimes bien peindre ?

C'est bête de demander ça à un peintre mais il faut bien dire quelque chose pour le mettre à l'aise.

— Je n'aime que ça.

Il s'est lancé dans un discours où il m'a expliqué qu'à New York, il était resté plus d'un mois sans sortir, à faire des tableaux sans arrêt et qu'il vivait dans une cave, sans montre et il ne savait plus si c'était le jour ou la nuit.

Maman est arrivée à ce moment-là et a dit « Merveilleux ! Merveilleux ! ». Moi je ne vois pas ce qu'il y a de merveilleux dans tout ça. Je crois qu'il a de gros progrès à faire parce que comme taches, c'est réussi ! La mère Carpentier en tomberait raide si elle voyait ça, quand je fais un pâté de rien du tout sur le cahier, on dirait qu'on l'égorge, alors là, dis donc, qu'est-ce qu'elle hurlerait ! Surtout sur le grand du fond : il tient tout le mur et il y a au moins deux cents kilos de peinture dessus, il a dû la jeter avec des seaux et ça a dégouliné.

— Et tu gagnes des sous avec tout ça ?

— Sometimes.

— De quoi ?

— Quelquefois. Quand je fais des expositions.

C'est quand même curieux qu'on expose des choses pareilles. Enfin, tant mieux pour lui.

Qu'est-ce que Franck peut faire en ce moment ? Il est peut-être sorti avec Jeanine.

— T'as vu des Indiens en Amérique ?

Je lui ai demandé ça sans grand espoir, plutôt pour dire quelque chose parce que je suis sûr qu'il n'en a jamais vu.

Il vit dans sa cave ce mec, et puis je sais bien qu'il n'y a plus d'Indiens, presque plus.

— J'ai eu un copain sioux à l'Université.

Ça m'a scié. On en a parlé un peu mais rien d'excitant :

C'était un Indien sans plumes qui faisait des études d'avocat et qui habite Montpellier. Ça m'a déçu : un Sioux à Montpellier, ça fait drôle. C'est toujours comme ça avec Bill, jamais d'aventures, de trucs intéressants, il peint, c'est tout. Il me donne pas envie de chahuter, si je lui raconte des histoires de l'école où on se bagarre et tout ça, il dit qu'il faut aimer les autres. Il est un peu chrétien. Je vais essayer quelque chose.

— Tu sais pas ce que j'ai fait ce matin ?

— Je ne sais pas.

— Un hold-up.

Il me regarde vaguement et se gratte la barbe. Il ne sait pas ce que ça veut dire « hold-up ». Ça, c'est la meilleure ! Un Américain !

Enfin, il comprend et fait son sourire doux.

— C'est très bien, Laurent, c'est très bien.

Et crac, il met les pinceaux dans la térébenthine et sifflote.

Pauvre mec, va. C'est pas la peine d'insister, il est borné comme tout. Comme Franck d'ailleurs. Mais attends ce soir, attends ce soir...

Ça tombe dur à présent. La pluie frappe sur la verrière, ça tambourine et c'est devenu tout vert comme si on était des poissons. C'est un aquarium son atelier. Tout à l'heure, on va se mettre à nager.

— Tu veux dessiner quelque chose ?

Je ne sais bien faire que les cow-boys. Franck aussi sait bien les faire, mais il fait toujours le même, un gros avec des points pour marquer qu'il est pas rasé et une croix sur la joue pour montrer qu'il a un pansement. En dessous, il marque Laurent Lanier, wanted et un chiffre avec des tas de zéros jusqu'au bout de la feuille. Je vaux drôlement cher. Je dis :

— Papa sait bien dessiner les cow-boys, et toi ?

Il s'assoit par terre les jambes croisées, tout voûté — qu'est-ce qu'il est maigre ce type.

— Pas très bien, dit-il, il t'en dessine beaucoup ?

— Tant que je veux.

Il hoche la tête longtemps, comme un âne, et puis sans qu'il y ait un rapport, il me redemande.

— Ça te plaît d'aller avec nous en Ardèche ?

Parfois dans ses pupilles, ça fait une lumière, la plupart du temps, c'est éteint, mais parfois il rallume. Il ressemble à Jésus alors. Mais un Jésus sale et pas tant musclé.

J'ai presque eu envie de lui dire de pas se faire de bile, que de toute façon, j'irai pas.

En classe, la mère Carpentier nous fait toujours des textes sur la mère. Des mères qui font des choses gentilles à leur enfant, qui les sauvent de la noyade quand il y a des inondations : on voit un dessin avec une belle femme en tablier qui saute dans une barque comme une sportive et elle a son enfant tout serré. Il y a eu ausi la leçon de morale où la maîtresse a dit qu'il fallait aimer sa mère et obéir, et lui faire des petits plaisirs.

Moi, je préfère Franck.

Et puis elle a Bill maintenant, mais même avant qu'elle parte, je préférais Franck. De toute façon, c'est lui ma mère parce qu'il faisait tout à la maison. Même la cuisine et repasser, il sait tout faire.

Maman est arrivée avec le plateau pour le thé avec des gâteaux. Dans un sens, elle est gentille aussi quand elle veut, mais c'est rare. Quand elle était à la maison, j'étais pas malheureux mais je commençais à me marrer seulement quand papa rentrait. Maintenant, c'est drôlement mieux. On mange par terre, à moitié allongé. Ça, c'est le style de maman, elle adore ça : elle met des grandes robes de toutes les couleurs, elle a son paquet de Gauloises, des mégots partout autour d'elle et elle boit du thé sans arrêt avec des biscottes pour pas grossir.

Je la regarde. Elle a toujours le même geste pour écarter les cheveux qui lui pendent sur la figure parce qu'ils sont très longs, très très longs jusqu'aux fesses par-derrière.

Franck a dû la trouver belle puisqu'il s'est marié avec. Et Bill aussi doit la trouver bien. Moi, c'est pas le genre de femme que j'aurais, elle dort tout le temps, des fois je rentrais à quatre heures et demie et elle était encore couchée. Et puis elle n'aimait pas faire les commissions.

Pendant que je bouffe mes biscuits secs, ils discutent de peinture. Je ne savais pas qu'elle s'y connaissait. Elle s'y connaît peut-être pas d'ailleurs, mais enfin elle en parle.

— Tu veux qu'on aille faire un ping-pong ?

Dès qu'il sent que je m'ennuie, il dit ça. Alors on descend et on va à la grande brasserie deux rues plus loin et on fait des parties, mais aujourd'hui j'en ai pas envie. La pluie s'est arrêtée.

— Je vais profiter qu'il pleut plus pour rentrer.

Elle ne dit rien et me regarde. Je veux pas avoir l'air d'avoir trop envie de me tirer.

— Tu as commandé tes devoirs de vacances ?

Ça, c'est bien elle, elle a l'air de s'en foutre comme ça, elle dit : « l'école, ça ne sert à rien » et puis elle est toujours à vérifier si j'ai pas fait de fautes sur le cahier et l'année dernière avant d'aller à la plage, il fallait que j'aie fait une page de ce foutu cahier de vacances avec des divisions à trois mille chiffres.

— J'y penserai.

Bill est redescendu avec moi. C'est sympa dans un sens mais j'ai horreur d'être avec lui : il marche pas, il se traîne, il met ses mains dans ses poches et puis il avance une jambe, il reste à rêver un moment comme s'il ne se rappelait plus qu'il est en train de marcher et puis il se rend compte, alors il avance l'autre et il oublie encore et ça recommence sans arrêt.

Là, j'ai failli faire la grosse erreur immense, à dix mètres de l'entrée du métro, j'ai mis la main dans ma poche pour sortir mon ticket juste au moment où Bill m'en a tendu un.

Il est gentil comme type parce que si ç'avait été vrai que je les aie perdus, j'aurais dû faire le chemin à pied. Je lui ai serré la main et il est resté là à se dandiner. Il a un jean très serré et qui montre ses chaussettes tellement il est court. On peut pas dire qu'il soit à la mode, on dirait un vrai mendiant. J'ai senti qu'il avait envie de me dire quelque chose mais il m'a fait un signe avec les doigts.

— So long Kid.

J'ai répondu la même chose. Ça veut dire « au revoir ». Il m'apprend des mots comme ça de temps en temps. Ça m'instruit.

Dans le wagon, il n'y avait presque personne et je me suis assis. Je serai à l'heure pour le rendez-vous.

PARTAGE DANS L'OMBRE

Place Jean-Jaurès.

Il fait presque nuit et c'est encore tout mouillé par terre. Il a fait du vent et des feuilles sont tombées tout autour des troncs des platanes. C'est drôle comme Paris est vide le dimanche, j'aime pas ces soirées parce que demain c'est lundi et le lundi matin, c'est la dictée de la mère Carpentier avec toutes ces questions et moi je confonds les prépositions avec les conjonctions et les participes passés et tout le bataclan, d'y penser, ça me fait baisser le moral.

Voilà l'arrêt. Ce qui est bien, c'est qu'il y a deux autobus qui s'arrêtent là, comme ça personne n'est surpris de voir qu'on est pas monté dans celui qui vient de passer. Tout est prévu. Gilles est sorti de l'ombre. Il se planquait comme dans les films. On est seuls tous les deux. Un moment, j'ai envie qu'on joue à faire comme si on ne se connaissait pas, on se parlerait avec le coin de la bouche sans se regarder, mais c'est pas la peine.

— On t'a pas suivi ?

Il fronce les sourcils et fait son air rouleur.

— T'inquiète pas, j'ai fait des détours mais il y avait personne de toute façon.

Il renifle et on attend.

Sept heures moins le quart et Dédé n'est pas encore là. Ça m'inquiète un peu parce que d'habitude, il est toujours bien exact.

— Les flics sont venus, lâche Gilles.

Il a dit ça pour que je sursaute et j'ai sursauté bien que ce soit normal : quand il y a un hold-up, il y a toujours les flics. L'essentiel, c'est qu'ils arrivent après.

— Et alors ?

— Alors rien, ils sont même montés chez les Mercadier et ils sont redescendus. Ils sont même pas venus dans notre maison. Tout va bien alors. Tout va très bien.

— Et toi, qu'est-ce que t'as fait ?

— J'ai regardé la télé. T'as fait les probs pour demain ?

J'ai oublié, c'est vrai qu'on a un bon sang de prob à faire, une histoire de voitures qui partent dans tous les sens et qui ne se rencontrent jamais et va savoir pourquoi...

Au fond, ça change pas grand-chose de faire un hold-up, il reste toujours les devoirs à faire. Heureusement qu'il y a Bangkok parce que sinon, ça vaudrait pas le coup.

Gilles, lui, il en profitera pas de son fric parce qu'il peut pas le garder pour lui : sa mère le trouverait et s'il s'achetait des trucs avec, elle lui demanderait avec quoi il se paie tout ça, alors, il est obligé de le donner à ses vieux. Dès qu'ils seront rentrés, il leur donnera l'enveloppe en disant : « Regarde ce que j'ai trouvé... » C'est malheureux, mais il ne peut pas faire autrement.

— Et si ton père allait le rapporter ce fric ?

Gilles a les yeux tout ronds.

— Le rapporter à qui ?

— Au commissariat...

Il rit et se met l'index dans le nez.

— T'es complètement fou, toi, ça se voit que tu connais pas mon père...

C'est vrai qu'il y a pas grand monde qui rapporterait une somme pareille et puis Gilles peut pas dire qu'il a fait un hold-up lui, parce que là, ça changerait tout, il prendrait la grande raclée, tandis que comme ça, il est tranquille, peut-être même ils vont lui filer un billet ou lui acheter un Lucky Luke et puis avec le reste, ils vont s'offrir une Simca neuve, parce que le père à Gilles, c'est un fou de la voiture. Moi, c'est pas pareil, je peux tout dire à Franck, il sera soufflé, c'est tout.

— Qu'est-ce qu'il fait Dédé ?

Gilles a l'air de souffrir. C'est un inquiet, ça se voit quand il est tracassé.

— Laurent... Et s'il venait pas ?

Je comprends pas ce qu'il veut dire.

— S'il partait avec tout l'argent en gardant notre part ?

Je vais lui écraser son pif un jour. C'est pas possible que Dédé fasse ça, c'est un type honnête, il a dit qu'il viendrait et il viendra. Un point, c'est tout.

— Il pourrait le faire, qu'est-ce que tu veux qu'on dise ? On peut pas aller se plaindre...

Je commence à avoir mal à la tête. Il me faut cet argent parce que je ne veux pas aller en Ardèche, moi, j'en ai besoin. S'il a fait ça, je sais où il est son garage et j'irai lui demander ma part et il faudra qu'il fasse gaffe parce que je suis peut-être plus petit que lui mais il faudra qu'il fasse gaffe quand même, s'il m'a jamais vu en colère...

— Il va pas venir, dit Gilles, c'est pas la peine d'attendre, mes vieux vont rentrer de la campagne et faut que je sois à la maison. On a été eu.

Vingt minutes de retard maintenant. J'arrive pas à y croire.

— Bon Dieu, dis-je, avec tout le boulot qu'on a fait ! Et tout ça pour rien...

On se regarde. Il est tout jaune dans la lumière des lampadaires.

— C'est un salaud, dit Gilles, je m'en doutais.

— Si tu t'en doutais tant que ça, pourquoi tu t'es pas méfié plus ? Fallait pas la lancer dans le carreau, ta bille !

Il double de volume.

— Alors là, t'es gonflé, c'est peut-être pas toi qu'as voulu qu'on fasse ce hold-up pour pouvoir crâner un peu ?

— Et toi, p'tit con, tu voulais pas faire le gangster non plus, peut-être ?

— P'tit con, répète-le que je suis un p'tit con.

— P'tit con, p'tit con et p'tit con.

Et en plus, paf, je lui colle une gifle et comme il me fonce dessus, il y a un bras qui passe entre nous et qui me tire en arrière.

140

— Alors les petits, on est pas complètement d'accord ?

Il a fait soleil en moi, tout d'un coup, je me suis transformé en jour d'été sur la plage.

— Salut Dédé.

Il avait son beau costume, bien peigné comme toujours et il fumait une blonde avec le bout filtre qui sentait bon.

— Excusez-moi, dit-il, mais il y a eu un arrêt de métro, un homme qui s'est suicidé.

Je suis drôlement content de le voir. Il a l'air en pleine forme.

— On marche un peu ?

On a pris par la petite rue qui monte et dont je ne me rappelle jamais le nom. Il n'y avait qu'un vieux type qui promenait son chien. J'avais envie d'avoir des renseignements.

— Alors, comment ça s'est passé exactement ?

Il tire une bouffée de son américaine. Ce sera un jour un grand gangster, ce type-là.

— Impec, sauf qu'il y avait de la poussière sous leur plumard.

Il rit et ajoute.

— Ils sont descendus à toute vitesse après le coup de téléphone : le fric du tiercé était dans des sacs sur la table de la cuisine. Ils avaient fermé au verrou : deux tours. Mais quand on est à l'intérieur, ça ne sert pas à grand-chose.

— Combien il y avait dans les sacs ?

— Moins que ce qu'on croyait. J'ai laissé les sacs de pièces parce que c'était un peu voyant.

Gilles ricane.

— Ça aurait fait du bruit en plus.

Dédé ne lui répond pas et s'arrête sur le bord du trottoir.

— On se quitte là, dit-il, à partir de maintenant, si on se rencontre, on se connaît plus.

On se regarde.

Je vois la glotte de Gilles qui remue, mais c'est moi qui me décide le premier.

— Tu nous donnes notre part ?

Le mégot de Dédé tombe et ça grésille dans l'eau du caniveau. J'ai peur d'un seul coup.

— Attention, dit-il, vos parents ne se connaissent pas ? C'est bien sûr ?

— On te l'a dit, murmure Gilles.

— O.K., dit Dédé, alors vous racontez la même salade : vous avez trouvé l'enveloppe en rentrant ce soir.

— Et s'ils veulent le rendre aux flics ? dis-je.

— S'ils le font, c'est pas grave : les billets sont pas numérotés, mais je peux t'assurer d'un truc : ils le rendront pas. Salut.

J'ai eu le paquet dans ma main sans m'en apercevoir et je l'ai mis dans mon blouson : il y avait une sacrée liasse qui crissait dans un journal entouré de ficelle.

Dédé s'éloignait déjà et j'ai fait un pas dans sa direction.

— Combien il y a ?

Il s'est même pas retourné.

— Presque un bâton : huit mille nouveaux.

Je l'ai regardé s'éloigner dans le noir et disparaître. C'était moins que ce que je croyais... mais quand même, ça fait un choc.

— Alors mon petit pote... Tu vois qu'il nous a pas doublés !

Gilles n'a rien dit, il regardait son paquet et on s'est quittés tout de suite. J'ai eu envie de courir mais je ne l'ai pas fait. Quand je suis rentré dans la cour de la maison, j'ai vu que c'était allumé chez nous : Papa m'attendait.

LA GIFLE ET L'ECUREUIL

Ça me prend d'un coup, sur le palier et je ne sais pas pourquoi.

Pourtant, ça fait longtemps que je n'ai pas chialé. Des années peut-être et là, je ne comprends pas : tout a bien marché, je vais à Bangkok et papa va ouvrir et ça n'arrête pas de couler, presque dans mon cou. Ça fait salé au coin des lèvres. Il est là, dans le rectangle de lumière, tout noir d'un seul coup et il me serre, ça me fait presque mal.

— Qu'est-ce que tu as ? Dis-moi ce que tu as, tu as mal ? Dis vite...

Je ne sais pas ce que j'ai justement, je n'y comprends rien, je suis comme une quille, il est complètement bouleversé et moi je vois tout qui tourne, je vais rendre mes gâteaux secs. Il doit le voir parce qu'il m'entraîne vers la salle de bain, il tremble et il me pose plein de questions. Ah, c'est pas du tout comme dans les films, je suis pas du tout impassible, heureusement que Gilles me voit pas.

— Mais, qu'est-ce que tu as, qu'est-ce que tu as ?

Il répète ça sans arrêt.

J'ai enlevé mon bras de son cou et j'ai défait mon blouson. J'ai tiré l'enveloppe et elle est tombée par terre, sur le carrelage et il y a des coins de billets qui sont sortis.

Il a regardé et il a simplement posé la question.

— Qu'est-ce que c'est que ça ?

J'ai respiré un grand coup et j'ai dit :

— C'est le hold-up.

Je peux dire que je l'ai jamais vu faire une tête pareille. Peut-être il n'arrivera jamais à refermer la bouche. D'habitude, il est poli avec moi, il fait attention, là, il s'assoit comme s'il craignait de se piquer les fesses sur les coussins et il dit délicatement.

— Ne déconne pas, Laurent.

— Je ne déconne pas.

Son doigt effleure les billets. Il a l'air d'avoir peur que ça brûle.

— Raconte. Vas-y calmement, raconte depuis le début.

Il dit ça gentiment, il ne me gronde pas et je sens que ça va mieux.

— On a fait ça avec Gilles et Dédé, il y a huit mille nouveaux francs et...

Sa bouche s'ouvre encore.

— Combien tu dis ? !

— Huit mille nouveaux, mais je pensais que j'aurais plus.

Ça le sonne encore davantage, j'ai l'impression qu'il vient de faire cinquante rounds contre Cassius Clay. Il va se verser un grand verre de la bouteille de whisky. J'ai essayé d'en boire une fois qu'il n'était pas là : c'est comme du feu. Il vient de liquider presque tout le verre d'un coup. C'est pas un léger celui-là. Ses mains se posent sur mes épaules.

— Ecoute, tu vas me raconter tout ça depuis le début, bien calmement, tu dis bien tout ce que tu as fait...

— D'accord.

Je commence à raconter : comment on a connu Dédé et l'idée de voler le père Mercadier parce qu'on savait qu'il montait l'argent du tiercé chez lui, etc., etc. Je parle, je parle et plus je parle, plus il devient terrifié, il a ses yeux qui sortent et de temps en temps il s'exclame : « C'est pas possible, c'est pas possible... »

J'arrive à la fin, petit à petit.

— ... Alors ce soir, on s'est retrouvés à l'endroit prévu et on a reçu notre part. Ça fait huit mille francs à peu près. Voilà.

Il me regarde d'un sale œil.

— Et voilà, dit-il, tout simplement.

— Eh oui, tout simplement.

Il écarte les bras et sourit au plafond.

— Rien de plus simple. Il a dix ans, il ramène huit mille francs volés à la maison, tout cela est parfaitement normal.

Je crois qu'il est juste que j'intervienne.

— Ça fait un mois que je t'en parle de ce hold-up, tu ne m'écoutais jamais...

Il se lève, fait trois fois le va-et-vient à toute vitesse et me fixe, j'ai l'impression qu'il ne me croit pas encore complètement. Il est long à réaliser.

— Alors, tu as mis de fausses lunettes, ta casquette, tes timbres et tu as fait tout ça ? Toi !

— Ben oui.

Ses mains claquent sur ses cuisses.

— Ben oui ! Il dit ben oui ! Quoi de plus simple en effet, excuse-moi de t'avoir posé la question.

Et tout d'un coup, c'est comme dans les films de corsaire lorsqu'on voit un type qui jette une torche allumée dans la soute où il y a dix mille barils de poudre : il explose.

Je prends la beigne sur la joue, à la volée et ça me fait mal jusque dans le crâne, je ne peux plus le voir parce qu'il me secoue comme cent pruniers et que j'ai mis mes bras devant mes yeux pour me protéger, je l'entends qui crie : « Petit malheureux ! Petit voleur ! » Tout devient noir, je crie aussi, je m'échappe vers la porte, je dérape sur la moquette, il court, me tombe dessus, je hurle, il va me taper encore, on roule par terre, il m'écrase, un vase tombe, tout s'arrête et là je comprends que toute cette histoire de hold-up c'était de la bêtise, parce qu'il est tout près, et on pleure tous les deux et je me retourne pour ne pas le voir, pour ne pas entendre le bruit que font les larmes quand elles remontent de son cœur vers sa gorge.

Pleure pas Franck, je rendrai les sous si tu n'en veux pas, c'était pour qu'on parte tous les deux en vacances, c'était pas autre chose, c'était pour Bangkok.

Je ne savais pas qu'il pleurait aussi. Il ne l'a pas fait quand Maman est partie, alors pourquoi ce soir ?

Ça me cuit de l'oreille au menton, je suis sûr que j'ai des marques de tous les doigts...

— Attention de pas te couper.

Avec le journal du soir, il balaie les morceaux cassés du vase. Il a pas été effleuré à peine celui-là, il est en mille morceaux.

On est sur le divan, je ne sais pas comment on y est arrivés. Il ne s'est pas rasé et sa barbe me pique. Il a les paupières toutes rouges et il parle sans arrêt en me tripotant les cheveux et j'ai son souffle dans l'oreille.

— C'est ma faute, c'est entièrement ma faute, tout s'explique, je ne peux pas t'élever tout seul, tous ces films que tu vois... L'autre jour ce pantalon qu'on n'a pas payé, c'était fatal que ça arrive, absolument fatal, ce n'est pas de ta faute, je croyais bien faire, mais ce n'est plus possible. Est-ce que tu te rends compte au moins que tu as mal fait ?

— Qu'est-ce que j'ai mal fait ?

— Voler, dit-il, voler, est-ce que tu te rends compte que c'est mal de voler ?

Je reste un peu perplexe, je n'arrive pas à trouver mes idées parce qu'il y a trop de choses qui se passent soudain.

— Ça dépend... Je t'ai demandé pour le tiercé et tu m'as dit qu'ils étaient idiots de donner leur argent... alors ? Et puis ils ont certainement tous perdu ! C'est rare de gagner !

Il me regarde comme un Martien et murmure

quelque chose que je ne comprends pas avant d'exploser encore. C'est la soirée décidément.

— Pas d'éducation morale, et voilà le résultat ! A dix ans le premier cambriolage ! Aucun sentiment de culpabilité... A ce train-là, tu te rends compte où tu vas ?

Il se prend la tête à deux mains et se martèle les tempes, il va se faire mal ce dingue.

Il s'arrête subitement et lance :

— Et est-ce que tu te rends compte que votre histoire était complètement foireuse ? que c'était vraiment une histoire de fou ?

— Ben oui, mais...

Son index bat l'air et scande les mots comme une baguette de chef d'orchestre.

— Ne m'interromps pas... Est-ce que tu te rends compte qu'il aurait fallu simplement que le père Mercadier ait un coffre, ou que sa femme referme la porte du palier avant de voir qui avait cassé son carreau, ou qu'ils ne descendent pas après le coup de fil, ou que lui seul aille voir ce qui se passe, enfin quoi, bon Dieu, est-ce que tu te rends compte que des tas de choses auraient pu se produire qui auraient pu vous faire prendre ?

Il s'essuie le front avec son mouchoir et conclut :

— Vous aviez quatre-vingt-dix chances sur cent de vous faire pincer avec vos imbécillités !

Ça m'a donné quand même un peu à réfléchir mais je lui ai montré les billets qui étaient restés sur la table et j'ai dit :

— Peut-être, mais on a réussi.

Il s'est tu aussitôt, s'est essuyé la sueur qui lui dégoulinait encore et il a dit : « bon Dieu de bon

Dieu de bon Dieu », une bonne trentaine de fois, mais il avait l'air moins fâché.

Complètement embêté, mais moins fâché.

Ses doigts courent sur ma joue.

— Ça te cuit ?

— Bof...

Il a fallu quand même qu'il me colle un gant de toilette sur le visage. Il m'avait jamais tapé jusqu'à aujourd'hui mais ce soir, il a mis le paquet. J'en ai vu plein de petites étoiles comme dans les magasins de la Noël. C'est un costaud, Franck Lanier.

Dans la salle de séjour, il est assis, les bras croisés devant l'enveloppe. On dirait un moine. Il réfléchit tellement qu'il a les sourcils froncés.

Je toussote un peu et il relève la tête.

— C'est pas tout ça, dit-il, mais maintenant, il va falloir le rendre ce bon Dieu de fric !

Dans la glace, je me vois pâlir mais je ne peux rien faire à présent. Ça me fait un retournement dans le ventre. Je balbutie.

— Tu vas le dire à la police ?

Il sursaute.

— T'es pas fou, non ? Pour que tu te retrouves devant un tribunal pour enfants avec toutes sortes de scélérats de ton espèce...

Il médite encore et demande.

— Comment ils s'appellent les parents de ton copain ?

— Dédé ? Il vit tout seul.

— Non, l'autre Gilles.

— Laumelle.

Qu'est-ce qu'il manigance encore ? Il est dans tous ses états, il farfouille dans le bottin. Ça y est, je sais ce qu'il veut faire, il veut téléphoner aux parents de Gilles. Aïe, aïe, aïe... Là, ça peut être affreux, ça peut être la catastrophe, il faut arrêter ça...

— Qu'est-ce que tu vas leur dire ? Gilles leur a raconté qu'il avait trouvé cet argent, si tu leur dis qu'il l'a volé, son père va le tuer, tu le connais pas.

Le poing de Franck sur la table fait trembler le téléphone.

— Et il aurait raison, si j'étais plus dur avec toi, on n'en serait pas là en ce moment.

Ça y est, il a trouvé, il fait le numéro, je n'aurais pas dû dire le nom.

Avant que ça ne décroche, je souffle.

— Je peux écouter ?

Papa hausse les épaules et je colle l'écouteur contre mon oreille. Ça va être terrible parce qu'il ne rit jamais, le père à Gilles. Il a une grosse tête de boucher mais il n'est pas boucher, il a seulement la tête avec un nez rond et des yeux tout bleus comme les fleurs de la tapisserie. Il est dans les vins. C'est ce que dit toujours Gilles : « Mon père, il est dans les vins. » Je me demande ce que c'est exactement comme métier.

— Allô ?

Bon sang, il a déjà l'air mauvais et il ne sait pas pourquoi on l'appelle.

— Monsieur Laumelle ?

— C'est moi.

Papa fait des traits à toute allure sur la couverture du bottin tout en parlant.

— Excusez-moi de vous déranger, je suis le père

d'un ami de votre fils Gilles, Laurent Lanier... Je suis Franck Lanier son père.

— Oui et alors ?

— Alors, heu... Alors, voilà, dit papa, c'est une affaire un peu délicate... Votre fils a... avait... il vous a bien remis une somme d'argent ?

Silence. Il est peut-être tombé raide mort le père Laumelle, mais ça ne lui ressemble pas.

— Oui, il l'a trouvée, et alors, elle est à vous ?

— Pas du tout, pas du tout, mais...

— Alors pourquoi me téléphonez-vous ?

Ils vont se fâcher, je sens qu'ils vont se fâcher.

— Ecoutez, dit Franck, vous êtes entièrement libre de faire ce que vous voulez de cet argent, mais en ce qui me concerne...

— Eh bien moi, m'sieur Lanier, il y a une chose que je peux vous assurer, c'est que j'irai pas la déposer au commissariat parce que j'vais vous dire c'que mon gamin m'a raconté : vous savez c'que c'est que tout ce fric ? C'est l'argent du P.M.U. Voui monsieur, du P.M.U., il y a eu un casse au Maryland, et les malfrats ont dû s'affoler et balancer l'artiche dans la cour en se tirant les pattes, et c'est mon môme et le vôtre qui sont tombés dessus et vous savez ce que je dis, m'sieur Lanier ? Je dis bravo. Voui, m'sieur Lanier, parfaitement, bien que j'n'ai pas l'honneur de vous connaître, je dis bravo. Et moi, je le garde l'argent et je vous conseille d'en faire autant parce que ça porte préjudice à personne.

Ça fait dix fois que Franck essaie d'en placer une mais qu'il n'y arrive pas.

— D'accord, monsieur Laumelle, bonsoir chez vous.

Découragé, Franck raccroche et regarde les billets, de plus en plus perplexe, il parle tout seul.

— Il a raison dans un sens, si on va voir la police, ils vont vous questionner, Gilles et toi, et là on n'est pas sortis de l'auberge... Ils ne croiront jamais à votre histoire d'argent trouvé... Ils vont faire un rapport avec le cambriolage et alors, ce sera grave...

Timidement, je demande.

— Qu'est-ce que tu comptes faire ?

Il allume une cigarette, et comme toujours il ne répond pas à ma question.

— Ça a l'air d'un drôle de zigoto le père de ton copain, j'ai l'impression que ce ne sont pas les scrupules qui vont l'étouffer.

— Qu'est-ce que tu comptes faire ?

Il se met bien devant moi et passe la langue sur ses lèvres.

— Tu es sûr qu'on ne peut pas vous retrouver ? Vous ne pouvez pas avoir d'ennuis ?

— Impossible, c'était tout sombre dans l'escalier et avec mon déguisement, elle ne peut pas me reconnaître, Mme Mercadier.

— Et ton copain ?

— Elle l'a pas vu, elle peut pas savoir que c'est lui qui a cassé son carreau.

— Et l'autre ? Dédé ?

— Encore moins de risques, ils ne peuvent pas l'avoir vu du tout.

Il laisse échapper une bonne centaine de bon Dieu de bon Dieu de bon Dieu, s'étrangle avec la fumée de sa cigarette et avale son restant de whisky d'un coup. Je me demande comment il fait pour être jamais soûl. Son père à Gilles, il est souvent soûl, mais comme dit Gilles, c'est normal parce qu'il est dans les vins et dans les vins, faut boire. C'est logique.

— Eh bien voilà, dit Franck sombrement, cet argent, on va le brûler.

Ça ne fait pas du tout mon affaire, mais je n'ai pas le temps d'élever une protestation qu'il fait des moulinets avec ses bras, il est excité comme tout ce soir.

— Il faut que tu comprennes une bonne fois que tu ne peux pas user de cet argent! Qu'il ne t'appartient pas et que...

Le temps qu'il reprenne son souffle, je remarque :

— Il n'appartient plus à personne puisque les gens l'ont donné pour jouer les chevaux, alors de toute façon, ils l'ont perdu... Et puis, je trouve que c'est bête de brûler de l'argent !

Là, j'ai touché juste.

— C'est vrai, c'est moche de brûler tout ça... On pourrait le donner, à des pauvres...

Il se lève et va regarder par la fenêtre la rue vide, jaune de néon et noire de nuit. Elle est drôle notre rue à cette heure-là, elle ressemble à une guêpe : rayée de jaune et de noir, et la tête qui scintille là-bas, c'est le Majestic. Tout est plus calme maintenant, Franck s'est rassuré, je le vois à ses épaules qui ne sont plus si rentrées que tout à l'heure. Ce qui réglerait tout c'est si je lui disais que si j'ai fait ça, c'est pour me payer le voyage en avion, mais je ne peux pas, ça me fait comme un nœud dans la poitrine, je ne sais pas pourquoi. Je peux tout lui dire sauf que je voudrais aller avec lui en vacances. Et puis j'aimerais vraiment aller voir les éléphants.

— Ça y est, j'ai trouvé.

Il revient vers la table, sérieux comme tout et me contemple de toute sa hauteur.

— Ce n'est pas moral, dit-il, mais je n'ai trouvé que ça.

Il s'allume une cigarette comme s'il voulait me faire languir encore plus et il écarte les bras comme un avocat.

— Je vais t'ouvrir un livret à la Caisse d'épargne.

Ça me fait rire.

— Celle où est l'écureuil ?

Il rit aussi. C'est la première fois de la soirée.

On a mangé très vite du riz de midi, du gruyère et deux éclairs chacun qu'il avait achetés au pâtissier et le repas a été assez gai en fin de compte. De temps en temps, il me posait des questions sur la façon exacte dont ça s'était passé et chaque fois que j'avais répondu, il disait « bon Dieu de bon Dieu » très longtemps.

Je lui aurais bien demandé d'ouvrir la télé parce qu'il y avait un film policier, mais j'ai bien compris que ça tomberait mal, et que je n'avais pas intérêt à insister.

Je me suis brossé les dents sans tricher, j'ai mis mon pyjama et je me suis demandé s'il allait me faire la bise ou non quand j'ai été couché.

Il est entré, a jeté un sale œil sur ma winchester, sur mes posters de Lee Van Cleef, sur mon pistolet en plastique et il a tapé un peu sur le lit pour effacer les plis de la couverture.

— Tu ne le feras plus ?

J'ai bougé la tête pour dire non et il m'a embrassé plus longtemps que d'habitude.

Dans le noir, je l'ai entendu qui marchait longtemps et je suis sûr qu'il ne quittait pas l'enveloppe des yeux et qu'il disait : « Bon Dieu de bon Dieu de bon Dieu. »

J'ai bâillé et avant de m'endormir, j'ai pensé que ça ne s'était pas mal passé après tout, puisque pour prendre l'avion, je n'avais qu'à aller à la caisse d'épargne et je retirerais l'argent. Ce serait facile puisque c'était Mon livret. Et de caisses d'épargne, il y en avait partout, ils le disaient tout le temps à la télé.

Mais ce qui est sûr, c'est que je ne recommencerai pas à faire des hold-up.

Quelle beigne j'ai prise !

VENDREDI : BYE, BYE.

Lundi, tout a bien marché : j'ai retrouvé Gilles à l'école, lui, ça s'était passé encore mieux que moi, il n'avait pas eu de beigne du tout, son père l'avait soulevé, jeté en l'air et rattrapé et il avait dit : « C'est toi qui as trouvé ça ? Eh ben mon p'tit gars, t'as pas perdu ta journée ! »

Gilles avait dit aussi qu'on était tous les deux et qu'on avait eu chacun une enveloppe et c'était bien tombé pour le coup de téléphone. Rien n'était marqué dans les journaux, c'était vraiment un petit cambriolage de rien du tout, on a eu drôlement tort de s'en faire.

Lundi à cinq heures, on a joué au square. J'ai torturé un peu Florence et comme à un moment on se trouvait avec Gilles planqués sous les buissons, il a chuchoté.

— Tu ne sais pas la nouvelle ? Mon père, il a déjà choisi sa Simca d'occasion, il a été ce matin au garage. Et toi qu'est-ce que tu fais de l'argent ?

J'arrivais pas bien à voir les mouvements ennemis entre les branches et j'ai dit :

— Mon père me l'a mis dans mon livret, j'irai le prendre quand je veux.

Il a ri ce petit con, et il a rétorqué.

— T'es fou toi, tu peux pas le prendre cet argent !

J'ai arrêté de surveiller les ennemis du coup.

— Si, je peux le prendre : c'est mon livret ! Y'a mon nom dessus.

Gilles a ricané encore.

— T'es trop petit pour retirer ton fric, tu pourras quand tu seras majeur, pas avant. Ça je peux te le dire parce que ma mère, elle m'en a fait un de livret, et j'avais appris le numéro par cœur parce qu'à cette époque-là, j'avais besoin de fric pour le cinoche et tout ça, eh bien c'est les mecs de la poste derrière le guichet qu'est trop haut pour que tu les voies qui me l'ont dit. Alors tu vois, pour toucher ton blé, t'as encore huit ans à attendre.

Bon Dieu. Je me suis fait avoir. Franck va partir seul, et je ne pourrai pas le suivre... J'irai en Ardèche avec cet idiot de barbouilleur et ma mère qui va me dire du mal de Franck tout le temps.

Je suis allé le chercher à la télé parce que dans l'après-midi, tout en faisant semblant d'écouter la mère Carpentier, j'ai calculé un plan. Un chouette de plan. Très simple mais génial : j'allais le dégoûter de Bangkok.

Il travaille au troisième et c'est compliqué pour le trouver mais je connais bien le chemin maintenant et j'aime bien y aller : il y a des décors dans les couloirs et ça fait drôle : on marche sur des moquettes, il y a des portes de bureaux vitrées partout et tout d'un coup, on trouve une cabane de pêcheur avec les filets qui pendent ou bien des chaises peintes, on dirait qu'il y a un dossier rembourré et puis quand on passe la main dessus, c'est tout plat : il n'y a pas de relief. Un jour, j'ai vu deux soldats romains qui fumaient des cigarettes en attendant l'ascenseur : ils avaient les lances, le bouclier, la petite jupe, comme de vrais romains.

Et puis parfois, on rencontre des acteurs. Ça c'est drôle, parce que je ne les reconnais jamais du premier coup : on croise quelqu'un et puis ça rappelle quelque chose et on se dit : Mais c'est le type qui fait Vidocq à la télé ! Quand je me retourne, il est déjà parti mais ça ne fait rien : je suis content de le raconter aux copains et je peux même dire qu'il y en a qui me croient pas.

Il travaille dans une pièce avec une porte drôlement lourde, en général, c'est tout noir et il y a toujours un type qui braille.

— Hé Lanier, t'as de la visite !

Alors Franck appuie sur des boutons, ça s'éclaire et je le vois au milieu d'un tas de barbus qui l'aident. C'est drôle qu'ils soient tous barbus là-dedans... tous sauf lui. C'est peut-être obligatoire, ça montre qu'il est le chef.

En tout cas, lui, il est toujours assis à son tabouret devant une grande table pleine de bobines de films qui tournent dans tous les sens et ça a l'air drôlement dur d'enrouler la pellicule autour d'un tas de petits trucs. Lui, il fait ça les doigts dans le nez : il visse, il dévisse, il appuie sur des boutons et on voit le film sur un petit écran, il peut l'arrêter comme il veut.

Hier, c'était pas mal, c'était un film en costume de mousquetaires.

— Assieds-toi là, m'a dit Franck, tu regardes, j'en ai pas pour longtemps.

C'était pas très drôle parce qu'il arrêtait tout le temps la projection.

— Tu coupes au milieu du plan, oui, là. Tu fais passer le travelling de l'église quatre secondes et tu reprends sur elle au moment où elle commence à sourire. Ça va ?

— O.K., boss.

Ça veut dire d'accord patron. C'est encore une de ces choses qu'il m'a apprise.

Il y avait une fumée terrible dans la pièce avec plein de mégots qu'ils écrasaient dans les couvercles de boîtes à films.

— Papa...

— Oui.

Je l'ai laissé bricoler son enroulage : les deux bobines tournaient au moins à cent à l'heure et comme je disais rien, il a dit :

— Oui, qu'est-ce qu'il y a ?

— Tu vas toujours à Bangkok ?

Il a arrêté le moteur et le silence était terrible tout d'un coup.

— Oui, j'ai reçu le billet d'avion ce matin au bureau. Pourquoi tu me demandes ça ?

— Pour rien.

Je ne peux pas empêcher mes pieds de battre contre le tabouret. Si je continue à me taire, la partie est perdue.

— Parce que je voulais te dire... pour les vacances... pour l'Ardèche...

Il allume une Gitane, c'est fort comme odeur. Ça doit lui brûler l'intérieur. J'aimerais bien qu'il ne fume plus.

— Eh bien quoi, pour l'Ardèche ?

— Je ne veux pas y aller.

Voilà. C'est dit, et carrément. Il a l'air encore suffoqué.

— Comment ça, tu ne veux plus y aller ? Comment ça tu ne veux plus y aller ?

Quand il est embêté, il répète deux fois les mêmes choses. Et à ce moment-là, je m'aperçois que tous les autres sont sortis de la cabine et qu'on est seuls dedans avec tous les appareils, les haut-parleurs, tous ces ustensiles compliqués, pleins de cadrans et de petites lumières. Et tout d'un coup, il crie.

— Eh bien, tu iras quand même mon vieux ! Tu iras quand même parce qu'à dix ans c'est quand même pas toi qui décides ! Moi, je me suis farci Arcachon pour les vacances jusqu'à vingt-deux ans avec mes parents alors que j'aurais voulu faire de l'alpinisme, et je n'ai rien dit, alors tu vas en faire autant, ça ne te tuera pas.

Sa voix baisse d'un ton et il descend de son tabouret.

— Et qu'est-ce que tu ferais à Paris, tout seul ? Tu te rends compte ! Tout un mois ! Allons, tu vois bien que ce n'est pas possible...

Je le comprends bien, que ce n'est pas possible donc il n'y a pas trente-six solutions, puisque je ne peux pas rester, il doit m'emmener avec lui.

Il remonte sur son tabouret et s'accoude à la

table. Il écrase le mégot à côté des autres et quand il recommence à parler, il ne crie plus du tout.

— Et puis... il faut que tu ailles un peu avec ta mère, Laurent... Tu es avec moi toute l'année et tu ne la vois que quelques heures le dimanche... Tu peux bien lui consacrer les vacances tout de même, si tu ne le fais pas, ça va faire des histoires terribles parce qu'elle va croire que c'est moi qui ne veux pas, et on va avoir des ennuis, je les sens venir.

On dirait qu'il me demande un service, mais moi, je veux pas lui rendre : pour qu'il puisse partir tranquille au soleil à boire des Pschitt orange sur des éléphants, faudrait que moi, je me paie deux mois à faire des devoirs de vacances avec des divisions pleines de virgules, à m'embêter sans arrêt, non, je ne marche pas.

Pendant que je réfléchissais, il n'a pas arrêté de parler et soudain j'entends quelque chose qui me plaît pas.

— Et puis, ça ne te fera pas de mal d'être un peu vissé quelque temps, si j'étais un peu plus sévère (coup d'œil vers la porte), il y a pas mal de choses qui ne seraient pas arrivées. Tu vois de quoi je veux parler.

Ça je le vois nettement. Il s'imagine que s'il avait été plus sévère, j'aurais pas fait de hold-up ! Alors là, il n'y a pas de rapport. Sauf que je lui aurais pas dit et que j'aurais gardé les sous, ce que j'ai eu tort de ne pas faire d'ailleurs, parce qu'à présent je les aurais et que mon billet d'avion serait dans ma poche.

Je tente une dernière expérience.

— Alors, tu veux que j'aille en Ardèche ?

Il prend encore une cigarette et il fait son air dur

sans se rendre compte que ça lui va pas du tout et que personne le croit quand il a cette tête-là.

— Parfaitement, et tu vas y aller.

Il reste un moment à regarder l'écran vide et il dit.

— De toute façon, j'ai mon billet pour Bangkok alors il n'est pas question que...

Ça, ça m'a mis en colère et je savais que je pouvais lui en boucher un coin, j'ai récité ce que j'avais lu dans le gros dico.

— Tu sais ce qu'il y a à Bangkok ? Il y a des filatures, des industries alimentaires et du ciment !

Ça l'a sonné, il trouve plus ses mots du coup. Il croit que c'est tout beau là-bas avec des fleurs et des dorures, et c'est plein d'usines. Il n'a même pas voulu en parler.

— Allez, ça va, on rentre à la maison.

Il a l'air peiné mais je sais qu'il ne cédera pas. Il ne veut pas qu'on passe le mois de juillet ensemble à Bangkok, c'est tout.Ça l'embête de m'emmener.

C'est dans le métro que j'ai pris ma décision. Lui, il lisait le journal ou il faisait semblant, je ne sais pas trop et moi, j'ai compris que c'était la seule solution.

Fallait pas que je me dégonfle car en un sens, c'était pire que le hold-up et il fallait qu'il comprenne bien pourquoi je faisais cela. Je lui laisserai une lettre le matin avant de partir et je me taillerai. Oui, c'est en regardant la pub des Galeries Barbès que j'ai décidé, j'ai compris que je ne pouvais pas faire autrement et c'est lui, en un sens, qui m'a poussé. Le mieux, ce serait vendredi. Vendredi. Je partirai vendredi.

« *Ne t'en fais pas pour moi si je suis parti, je me débrouillerai bien mais c'est parce que je veux pas aller en Ardèche, alors comme ça, il n'y a pas de problèmes puisque je serai plus là. Comme ça, tu peux aller te promener tranquille dans tes usines pleines de ciment et maman peut faire ce qu'elle veut mais je ferai pas des devoirs toutes les vacances avec des divisions. Je serai bien tranquille et tout le monde aussi, c'est le mieux. Pour l'école, ça ne fait rien si je manque parce qu'on fait plus rien et que la mère Carpentier, elle nous lit que des histoires et on fait des dessins pas intéressants alors ça fait rien.*

Voilà, je m'en vais, comme ça, c'est le mieux, tout le monde est bien tranquille et pas d'histoires.

Laurent

Post-scriptum : j'ai pris le chocolat pour le goûter et j'ai des sous. »

Je lui ai mis la lettre sur la table pour qu'il la voie bien quand il rentrera et j'ai enfoncé les bâtons de chocolat dans le pain et le tout dans du plastique. Il est huit heures et quart. C'est vendredi et je m'en vais. C'est le jour du départ.

Personne ne le sait. Même pas Gilles. Ce matin, je vais me balader et puis je marcherai la nuit pour aller chez Mémé. A la campagne, je vivrai avec des œufs. Il y a des pommes dans le grenier, des tas de choses pour manger.

C'est drôle comme impression ce matin, c'est un peu comme pour le hold-up, mais en mieux : j'ai un peu un vide en moi, mais tout est comme une large liberté.

En avant.

LES AMPOULES
DE CLIGNANCOURT

Quand je pense à la mère Carpentier, ça me rend dingue de joie.

Tous les copains en train d'écouter ses petites lectures moches avec des lapins et des petits piafs toujours pareils, et moi, je suis là en plein vent terrible dans le soleil formidable en plein milieu de deux palais très beaux bordés de statues d'or.

Je voulais aller à Vincennes voir les éléphants puisque Franck m'a jamais emmené et puis je me suis trompé de côté, j'ai changé à Etoile pour revenir, et je dois être énervé quand même puisque je me suis encore gouré et finalement je suis sorti à Trocadéro et là le vent m'a balayé toutes mes poussières.

C'est formidable ici. Je n'étais jamais venu. C'est

grand et large plus qu'ailleurs, on peut courir à toute allure sur les dalles et tout en bas on voit Paris avec la Tour Eiffel devant et la Seine qui coule et les petites autos comme chez le marchand de jouets, et tout ça c'est en grand écran comme le western avec Henry Fonda que j'ai vu avec Franck.

Le plus formidable, c'est les statues. Il y en a plein de dorées mais derrière quand on descend les escaliers il y a un bonhomme gigantesque, tout en ferraille, tout nu. C'est magnifique ! Il n'y a presque personne sur l'esplanade et l'idéal ici c'est le patin à roulettes, un petit coup de talon et hop, on doit filocher à cent à l'heure. J'en ai jamais eu de patins mais j'imagine l'effet que ça doit faire. C'est drôle par ici, c'est tout plus grand que vers chez nous, c'est un quartier plus riche, c'est même bizarre que ça ne soit pas payant, tellement c'est joli... Peut-être il y a un gardien qui va me demander mes tickets. C'est comme à la mer, ça m'étonne toujours qu'on puisse regarder gratuitement. Il faut que je fasse attention aux flics parce que s'ils me voient, ils vont me demander pourquoi je ne suis pas à l'école et ça pourrait barder. Après quatre heures et demie ça ira, je pourrai être tranquille.

Il est près de dix heures et dans les allées du jardin il y a des gosses dans des poussettes qui secouent des hochets avec leurs mères qui discutent. Du haut des escaliers je vois tout Paris avec les ponts et les bateaux qui doivent aller jusqu'à la mer. La Seine est bleue ce matin, bleu foncé comme mon pull-over et c'est beau entre les quais blancs et les drapeaux des péniches qui claquent, et puis ce vent frais ça mord les oreilles, je resterais toute ma vie là. Je suis comme un capitaine à l'avant d'un navire. Je m'amuse à compter les ponts quand je les vois tourner l'angle, à l'autre bout de l'esplanade et la peur me bloque tout : juste ce que je craignais, deux flics. Cours pas Laurent, cours pas. Prudence. S'ils voient que je me carapate, ils vont me foncer dessus ou siffler dans leur roulette et c'est la chasse à l'homme immédiate, comme à Chicago. Je descends en faisant mine de rien, je sautille un peu comme si je m'amusais, mais en fait je fonce à cent à l'heure sans qu'on s'en aperçoive.

Près de l'arbre, je fais semblant de ramasser un caillou et je jette un œil derrière. Ils me suivent et ils ont accéléré, parce que la distance a raccourci.

J'ai chaud dans le ventre et au moment où je démarre je devine qu'il y en a un qui fait un geste vers moi mais je trace comme le vent, je dévale un escalier et mes semelles crissent sur le gravier de l'allée. On court derrière moi, je les sens. Bon Dieu, s'ils me rattrapent ils vont prévenir Franck... Le mauvais sang qu'il va se faire...

Vite, vite, les flics filent de chaque côté, je saute un bac à sable et là, juste devant il y a trois mille petits mecs de mon âge qui rentrent dans l'Aquarium.

Je me faufile au milieu, les deux guignols pourront jamais me retrouver et hop, en deux coups de reins, je passe le guichet comme une fleur et me voilà au milieu des requins et des tortues.

Ça, c'est la meilleure, je suis dans les entrailles de la terre avec des petits gars qui courent dans tous les sens. C'est des jeunes du cours élémentaire parce qu'ils sont un peu tout fous, ils cavalent sans arrêt et ils se collent devant les vitrines pour voir nager les sardines et il y a une maîtresse avec une tête toute plate et des bras comme des ailerons qui crie : « En silence s'il vous plaît, en silence ! »

C'est drôle comme endroit, c'est sombre et ver- dâtre et derrière les glaces il y a des tas de bulles et des bêtes qui rôdent derrière de faux rochers... Ça fait peur quand on regarde de près, on voit les mandibules et tous leurs trucs qui bougent dou- cement comme derrière une loupe... Ça coupe l'appétit. Tiens au fait, et mon chocolat ?

Merde, tout a coulé dans le plastique, il a fondu.

J'aurais dû prendre un plus gros bout de pain parce que j'ai un sacré bout de chemin à faire avant d'arriver chez Mémé.

— Qu'est-ce, que tu fous là toi, t'es pas de l'école !

Je me retourne. C'est un tout tondu prétentieux avec un appareil pour redresser les dents et un pli à son pantalon du dimanche. Il s'est fait beau pour aller voir les poissons ce crétin. Ça marchait trop bien, après les flics, je tombe sur un cafteur.

— Je suis pas de l'école moi ? Ça va pas la tête !

Ça y est, il y a déjà un cercle autour de nous et tous me regardent et il faut pas que j'hésite ni que je me dégonfle.

Le tondu s'approche en roulant les mécaniques, tout crâneur comme s'il était inspecteur de police.

— Et c'est comment qu'elle s'appelle ta maî- tresse ?

Ils me cernent tous et je suis perdu.

— C'est elle, là-bas.

Ils se sont pas retournés que je fonce vers la sortie, je rentre dans une grosse, j'évite une paire de pantalons et le soleil me frappe en plein.

Encore sauvé pour un coup, mais c'est pas terminé. C'est même pas encore commencé. C'est dur d'être en fugue parce qu'il faut se méfier de tout, même des enfants, parce que ce tondu avec son dentier, il voulait ma peau celui-là, je l'ai senti tout de suite.

Je prends le pont, celui avec des pierres blanches et brillantes comme du sucre quand on en coupe un morceau en deux. Le plus dur ce sera après six heures quand papa aura trouvé ma lettre, mais je ne pouvais pas aller en Ardèche, deux mois ça fait trop. Et tout ce hold-up qui n'a servi à rien et zut et zut et zut.

Les Puces.

J'y suis venu il y a longtemps avec Maman et Franck et c'est un endroit que j'aime bien parce que ça bouge sans arrêt et il y a des tas de petits passages partout où on peut se glisser. Ça m'a surpris parce que je ne savais pas que les Puces c'était à la porte de Clignancourt et c'est à cette porte qu'il faut que je quitte Paris pour rejoindre la route qui va à la campagne de Mémé. En tout cas me voilà dans le marché. Il ne faut pas que je m'éloigne trop du boulevard parce qu'il s'agit pas que je me perde, je vais remonter tranquillement en regardant les étalages.

Ce que j'aime surtout ce sont les vieux trucs : les casques avec des crinières de cheval, les vieux sabres, les pistolets presque aussi longs que des fusils, j'aime bien aussi les vieilles machines avec des rouages, des courroies, on ne sait pas bien à quoi ça sert. Si j'avais de l'argent, j'achèterais tous ces vieux trucs, je ferais collection quoi. Pas de timbres parce qu'il faut trop de patience mais si je gagne des sous je ferais collection d'épées de mousquetaires. Il y en aura partout chez moi, sur les murs, dans des boîtes, partout. Je trouve ça joli, et c'est agréable à tenir à la main. Avec Gilles on fait des duels quand la mère Carpentier écrit au tableau, on prend nos règles et tac... tac... tac, mais ça ne vaut pas une vraie.

Quand je serai grand, je ferai de l'escrime et collection d'épées. Je travaillerai à la télé, je rentrerai chez moi et je ferai de l'escrime en inventant des histoires de D'Artagnan. Et puis j'aurai un fils. Je l'appellerai Franck. Ce sera marrant ça.

Faut pas que je rie tout haut parce que les gens vont croire que je suis fou.

Mais c'est vrai que ce serait marrant que mon fils s'appelle Franck.

Franck, viens faire tes devoirs tout de suite, bon Dieu de bon Dieu de bon Dieu...

Je fumerai des Gauloises aussi — j'ai faim.

J'ai bouffé mon goûter dans le métro en vitesse pour pas me faire remarquer parce que ça dégoulinait drôlement et il y a quand même une bonne femme qui avait l'air écœuré par tout ce chocolat. Mais j'ai encore faim.

Ce que j'aime c'est l'odeur des grandes baraques où ils font de la barbe à papa, du nougat, des pralines, j'irais bien acheter quelque chose mais c'est trop sucré, ça n'enlève pas la faim. L'idéal ce serait que j'achète un bifteck, mais avec quoi je vais le faire cuire ? Ou alors des marrons, ça c'est bon pour la faim les marrons parce que ça bourre. On en mange cinq ou six et après on est dur comme du ciment de Bangkok.

Ici c'est le coin des lavabos, il n'y a que ça partout, et pas que des neufs. Il y a des cabinets aussi, des tas de cuvettes sur des milliers de kilomètres, des cassés, des en ruines, de toutes les couleurs. Sur la droite il y a un très fragile vieillard avec un mégot tout jaune tortillé et gluant assis au milieu de ces trucs en faïence tout plats qui servent à se laver le derrière. Les pieds aussi si on veut. Je déteste ça. Quand j'étais petit, j'avais fait caca dedans une fois. Quelle crise !

Je crois que j'ai perdu le boulevard, il faut que je reprenne sur la gauche.

Oh c'est bien ici. C'est plein de fusils en botte. Il y en a qui sont plus hauts que moi, comme dans le livre d'histoire de l'école. Dans une image on voit les chouans accroupis et puis les autres soldats qui passent tout guillerets juste à côté, ils ne savent pas qu'ils vont dérouiller, ils tombent en plein dans le piège. Je me demande par où ils faisaient l'étincelle pour mettre le feu à la poudre. Ce devait être sur le côté, dans le petit trou.

— Tu vas rester planté là longtemps ?

C'est le marchand qui me dit ça. Je l'avais pas vu. Il est coincé entre un grand mannequin sans tête avec une poitrine formidable et un rideau à franges.

Très sale tête le marchand, il a un doigt dans le nez et ressemble au père Gombier celui qui fait les grands et qui donne des coups de pied dans le cul aux récréations dès qu'on court trop vite.

— Je cherche où c'est qu'ils faisaient la petite étincelle.

Il se lève avec sa sale tête et toujours son doigt enfoncé.

— C'est tes oreilles qui vont en faire des étincelles.

Je zigzague à toute allure dans les allées. Ça m'étonnerait qu'il me poursuive parce qu'il lui faudrait retirer son doigt de sa narine et ça a l'air trop dur pour lui. Peut-être que c'est soudé à force, et ça a l'air de rien, mais c'est difficile de courir avec un doigt dans le nez.

J'essaie pour voir.

— Hé, où tu vas toi ?

Hop, je fonce, je vire et je m'arrête. Si je cours ils vont croire que j'ai volé. On n'est jamais tranquille quand on est enfant. Qu'est-ce que ça pouvait lui faire à l'autre au doigt dans le nez que je regarde ses fusils ? Je n'y touchais même pas. Je cherchais même à m'instruire et il me cavale après ce salaud. Je plains son fils à celui-là et sa femme encore pire et qu'il soit maudit.

Et avec tout ça je ne retrouve pas le grand boulevard, ici c'est super-moche, c'est vraiment pauvre comme endroit : il y a plein de vieilles et grises bonnes femmes qui essaient de vendre des petits objets étalés par terre sur des mouchoirs : du fil entouré sur du carton, des boutons dans des boîtes, plein de trucs comme ça. Je suis sûr qu'elles ne vendent jamais rien et ça me rend triste de penser qu'elles viennent là tous les jours et qu'elles remballent le soir et que c'est toute leur vie comme ça. Elles doivent se suicider de temps en temps.

Ça y est, il y a de moins en moins de marchands par là, les Puces doivent finir mais je n'ai pas encore trouvé le boulevard.

Ah, une boulangerie.

Il y a un beau choix dans la vitrine. C'est le pain au chocolat qui me plaît le plus mais ils les font très petits, deux bouchées et c'est fini. Je vais prendre le pain aux raisins parce qu'il y en a nettement plus à bouffer et puis ça doit être un peu mastoc comme pâte, ça bouche bien. L'embêtant c'est que ça va me donner soif mais je pourrai acheter un Pschitt orange dans une petite bouteille pour que ça ne m'encombre pas trop.

Oui c'est ça, je prends un pain aux raisins et après le Pschitt.

— M'sieurs dames. Un pain aux raisins s'il vous plaît.

C'est une dame sérieuse et en blanc comme une infirmière.

— Un franc quarante.

Je mets la main dans ma poche et ça me fait tout froid dans le ventre : j'ai perdu mes sous.

Je sais même quand c'est arrivé : c'est quand j'ai mangé mon goûter.

CALLAS DE SARCELLES

J'aurais jamais cru que les banlieues soient si longues. Dès la porte de Clignancourt, je suis sorti de Paris et après on pourrait croire que c'est la campagne et les villages eh bien c'est faux. Il y a des rues sans arrêt et ce sont des rues sans maisons, rien qu'avec des murs qui filent sur des kilomètres avec des rails au milieu de la rue et des camions garés et personne de vivant.

C'est là qu'il a commencé à pleuvoir. Et j'avais de plus en plus faim.

Je n'arrivais pas à sortir de Saint-Denis, là aussi c'est comme pour Bangkok, c'est plein d'usines et j'ai su que c'était six heures lorsque tout d'un coup il y a eu plein de gens dans les rues avec des vélos et des voitures, je me suis arrêté à un feu rouge d'un très grand carrefour et j'ai senti que c'était tout douloureux en haut des cuisses presque jusqu'au ventre et j'avais aussi comme une brûlure au talon gauche, c'était une ampoule et ça c'était terrible parce que, s'il y avait du sang qui venait dedans, j'aurais tellement mal que je ne pourrais plus marcher et alors là, je serais foutu, à moins que j'arrive à m'accrocher à un camion pendant la nuit mais je devrais faire drôlement gaffe pour qu'il ne m'écrase pas.

A Pierrefitte, la pluie est devenue froide et j'ai suivi une grande rue comme une autoroute qui n'en finissait pas, il y avait des voitures sans arrêt et presque pas de place sur le bord pour les piétons. Après, il y a eu des pavillons, j'ai eu l'impression qu'ils ne finiraient jamais et je me suis assis un moment sur un banc de béton glacé dans un petit square minuscule et là j'ai pensé que je n'arriverais jamais chez Mémé. Je n'avais pas prévu cette foutue banlieue où on ne peut pas avancer droit, toutes les rues courent dans tous les sens, je pourrais marcher cent ans et ne pas en sortir et j'ai trop mal au pied pour avancer encore surtout qu'il commence à faire nuit. Ça va être dur de repartir en sens inverse. Ma chaussette est collée à la peau et dès que je tire un peu sur le nylon, ça me fait un mal terrible. Je sens mauvais aussi parce que j'ai pris l'averse et la fourrure de mon blouson pue le chien, ça me fait froid partout, comme des frissons. Tout autour, ce sont les H.L.M. à perte de vue et je ne pourrai jamais retrouver le chemin de la maison de Mémé là-dedans.

Le mieux finalement ce serait de retourner.

Ça n'aura pas été une bien longue fugue, mais tant pis, ce que je voudrais pour le moment, c'est m'empêcher de trembler et c'est difficile parce que ça me monte des reins et que ça s'infiltre partout jusqu'aux dents et elles claquent, mon Dieu si ça pouvait s'apaiser.

C'est le museau du chien dans ma main qui m'a réveillé mais peut-être je n'ai dormi que quelques secondes, le temps que vienne cette grande dame vénérable qui me regarde en tirant sur la laisse de son teckel et qui me lorgne comme si elle était une Reine.

Elle a un foulard qui glisse, des montures de lunettes en fer et elle sifflote entre ses dents.

Pourquoi me regarde-t-elle comme ça ? Je dois partir mais le simple fait de poser mon talon par terre, ça fait une onde terrible de douleur et je me rassois.

Elle remonte ses lunettes qui glissent aussitôt sur son toboggan de nez.

— Le petit garçon est fatigué, chantonne-t-elle, le petit garçon doit se reposer et il a envie de confitures bien sucrées. N'est-ce pas Toby ?

Toby tire sur sa laisse et la géante désigne dans l'amas des blocs une fenêtre perdue au milieu des autres.

— C'est là qu'habite Maryse Ventroux. Tu ne connais pas Maryse Ventroux, n'est-ce pas ? Eh bien tu vas venir avec moi boire du chocolat et tu sauras qui est Maryse Ventroux.

Elle est folle certainement, mais qu'est-ce que je peux faire ? Courir dans cette ville n'est pas possible, toutes les maisons sont les mêmes, je pourrais y rester des années à tourner pour rien. Soudain, la vieille dame lève son nez vers le ciel violet et pousse un son bizarre comme si elle avait une flûte cachée dans la bouche. Elle se tourne vers moi et applaudit à tout rompre.

— La voix d'or de la baie des Anges, dit-elle, un simple échantillon : Maryse Ventroux cantatrice à l'Opéra de Nice. Prenez mon bras, petit garçon, pour ne pas vous perdre dans l'immense cité.

Elle me donne envie de rire et je ne peux rien faire d'autre que de la suivre doucement sans appuyer sur mon talon.

Elle est gigantesque et sous le fichu, les cheveux sont blancs et moutonneux, elle a une tête très longue et de temps en temps, elle fait son bruit de flûte ou elle hennit longuement. Elle se retourne vers moi au moment où nous pénétrons dans l'ascenseur de l'immeuble.

— *Aïda,* dit-elle, *Le Trouvère* et *Rigoletto* — Maryse Ventroux chante ce soir !

Elle a un petit rire étouffé, me pousse du coude et se penche vers moi : les places valaient cher, souffle-t-elle, mais je faisais des exceptions pour mes admirateurs.

Encore son bruit de flûte perçante et on arrive au septième étage. C'est moche, avec une rampe en fer qui vibre et des gosses sur les paliers à jouer assis sur les paillassons.

— Place, écartez-vous enfants...

Elle fait de grands gestes dévastateurs avec ses manches et j'entends « Ta gueule Maryse », mais elle m'entraîne, d'une grande main pleine d'os, et nous arrivons dans une pièce bourrée de fauteuils à hauts dossiers avec des tas de lampes à petits glands sur des meubles, je n'en ai jamais vu autant de toute ma vie, on peut à peine bouger, sur les murs, il y a de grandes photos de Maryse Ventroux

182

avec des pantalons de golf dorés, des turbans, elle regarde vers le haut et ses bras se tendent vers le bas, comme si elle voulait arracher une souche... En bas, il y a écrit « Lakmé » avec des dates et des noms d'artistes.

— Chocolat chaud pour le petit garçon, dit Maryse, nous aurons aussi les confitures promises, tra la la la. Je suis sûre que tu n'as jamais entendu chanter Lohengrin ?

Ses yeux sont presque ronds et sortent de sa tête, il fait très sombre dans la pièce, il y a des statuettes de femmes sur des étagères.

— C'est vous aussi ça, madame ?

Elle joint les mains avec ravissement et tombe à genoux sur un pouf.

— Il parle ! C'est merveilleux, je pensais que le petit garçon ne parlait pas !

Elle sourit et ses fortes dents jaunes brillent dans la pénombre.

— Pour le récompenser de parler, il va entendre : il va entendre Maryse Ventroux.

Elle a plein de disques éparpillés partout mais ce n'est pas comme ceux d'aujourd'hui où il y a une pochette avec une photo ou un dessin en couleur, là ce sont des pochettes tristes, couleur de papier d'emballage avec un trou au milieu pour qu'on voie l'étiquette ronde.

— Ecoute ça, écoute.

D'abord, ça grésille et il y a une musique de casserole puis une voix très aiguë, très forte comme quelqu'un qui serait en colère : c'est Maryse. C'est sa voix d'il y a quarante ans mais c'est la même quand même. Le chocolat arrive sur la dernière note et la grand-mère me soulève et me dépose sur une chaise aux barreaux en spirales.

— Petit garçon mouillé, chantonne Maryse, il faut enlever la veste et les chaussures...

Les couleurs tournent, toutes les lampes sont allumées et les abat-jour violets, mauves, verts jaunes font des taches qui se mélangent, derrière il y a une grande banderole en travers du mur « Opéra de Nice ».

Le chocolat et la confiture me donnent vaguement mal au cœur, elle fait des tartines énormes, je voudrais dormir. Je suis bien dans cette chaleur et toutes ces fanfreluches. Il y a des cartes postales très vieillies, délavées comme des layettes. J'aime le cavalier de bronze qui brille sous le vieux lustre à pendeloques, il y a des boîtes partout avec des colliers, j'ai peur de casser quelque chose tellement c'est fragile, ça pendouille partout.

— Petit garçon mouillé va dormir...

Oui, ce serait bien de dormir, oublier ce cauchemar. Ça avait bien commencé pourtant, dans le quartier splendide de la Seine et des palais et puis le pont avec les chevaux cabrés sur le ciel, c'était drôlement beau.

Mais c'est après que tout s'était gâté, ces villes grises et pluvieuses qui n'en finissaient pas d'être si laides et puis la fatigue, et maintenant Maryse Ventroux, la folle, la vieille chanteuse avec tous ses souvenirs dans son H.L.M. Papa sait depuis longtemps, il a eu ma lettre et il a compris que je n'avais pas d'autres solutions.

Il fait bon dans la chambre, c'est rouge sombre avec des vases sans fleurs, tout tordus, pleins de diaprures en verre. Je me réveille en sursaut de temps en temps et elle est toujours là, à me surveiller, elle se penche, me met ses doigts sur le front et je retombe sur le lit où le sommeil me reprend tout de suite pour un court moment. Il y a un cadre doré derrière la porte avec un grand moustachu dedans. J'ai des courbatures dans le dos et le nez me pique par moments. J'ai dû attraper la grippe, mais pour le moment, Maryse Ventroux est là qui me protège car je sens qu'elle ne se couchera pas, elle est dans le grand fauteuil et je vois ses bottines sous sa robe, il faudrait que...

C'est le jour derrière les voilages. Le plein jour.

Deuxième jour de fugue, l'aventure n'est pas encore terminée. J'entends la flûte de Maryse dans la pièce à côté. Elle chante et elle parle aussi, il me semble entendre une autre voix mais je n'arrive pas à comprendre ce qu'elle dit.

— Toby !

Il remue les oreilles. Il a dû dormir tout le temps en travers de mon lit.

Je me lève. Ça chancelle encore un peu mais ça va mieux qu'hier soir. Maryse m'a fait un pansement au pied et je n'ai plus mal. Je prends mes chaussettes pour les enfiler et je m'arrête soudain : elles sont vertes.

Or, hier matin j'ai mis les bleues, j'en suis certain. Et je n'ai pas emporté de paire de rechange. Comment sont-elles venues là ?

En slip, j'ouvre la porte et je les vois : il y a Maryse en longue robe de chambre pleine de dentelles qui sert du chocolat dans un bol et en face d'elle, il y a papa qui trempe rêveusement une tartine.

C'est elle qui me voit la première et elle hennit en faisant ses roucoulades d'opéra.

Franck pose sa tartine et il se lève. Il se baisse vers moi et ses lèvres sentent le chocolat sucré de Maryse Ventroux.

— Hello, boy, dit-il.

— Hello, Franck, dis-je.

Les dentelles de la vieille chanteuse géante s'envolent.

— *La Traviata,* écoutez : Monte-Carlo 1934. Ma grande année, des montagnes de fleurs, la musique des dieux.

La voix grelottée sort du gramophone tandis qu'elle accompagne les notes de son trémoussement.

Il prend une Gauloise et craque l'allumette trois fois avant d'allumer.

— T'as pas eu trop froid hier soir ?

J'écoute un peu l'opéra que Maryse Ventroux accompagne toujours.

— Non, ça commençait mais on peut pas dire que j'ai eu froid.

On se regarde et je demande.

— Comment tu m'as trouvé ?

Il sourit.

— C'est Mme Ventroux. Quand tu as été endormi, elle a trouvé ta carte d'identité de l'école, elle a pris le bottin et elle m'a téléphoné. C'est pas sorcier.

Il joint le bout des doigts de ses deux mains comme pour une prière et les écarte.

— Tu as été loin : Tu as fait tout ce trajet là à pied ?

— Oui. Depuis la porte de Clignancourt.

Il opine du chef. Je suis comme quand j'ai été malade, l'autre jour, quand tout est presque permis que les bruits sont lointains qu'on est tranquille et qu'on a l'âme-coton.

Il ne me grondera plus maintenant, c'est comme si cette journée n'avait pas existé en fait.

— Nous allons partir, Mme Ventroux, et je voudrais vous remercier.

La flûte sonne, suraiguë cette fois.

— Cela m'est arrivé à Vienne, en 1917, j'avais douze ans et je me suis retrouvée la nuit, dans les jardins du Prater, en pantalons déchirés, ils sortaient de sous la jupe à cette époque, ma mère avait refusé de m'amener à Prague en tournée et j'étais amoureuse. A douze ans ! D'un lancier de la garde avec pompons et brandebourgs... bref, je pars en calèche, je fais stopper à Schoenbrunn et je me suis perdue dans le parc... C'est immense, vous savez... On m'a retrouvée endormie, enfouie sous les brouillards du Danube. J'ai failli en perdre ma voix, alors votre fils, hier soir, m'a tellement rappelé l'enfant que j'étais...

Elle m'embrasse comme une pieuvre avec un bruit claqué.

Dans l'ascenseur, Franck prend ma main.

— On lui enverra des fleurs, dit-il, comme autrefois, à Nice, lorsqu'elle chantait.

— Tu crois qu'elle chantait bien ?

— C'est possible, dit Franck, l'essentiel c'est qu'elle le croie. Viens.

L'ascenseur s'est arrêté et dehors c'est Sarcelles. Toutes roides contre le ciel, les tours s'empilent, cela ne semble guère possible que Maryse Ventroux habite ici.

On est montés dans la voiture et quand la portière a claqué, j'ai juré que je ne referais plus un truc pareil. Ça fait de la peine à tout le monde et c'est quand même bien que je sois tombé sur Maryse Ventroux.

J'espère qu'elle a été une grande actrice dans son opéra...

Franck roule doucement dans le soleil et ça brille partout comme de l'aluminium.

— Alors, dit Franck, tu n'es pas heureux à la maison ?

Il n'a rien compris et ça va être tout un travail de lui expliquer.

— Si, je suis heureux.

Il change de vitesse et il reprend d'une voix enrouée.

— Tu n'es certainement pas très heureux puisque tu as voulu partir.

Il clignote et on tourne. Je reconnais les Puces où j'étais hier mais il n'y a plus personne, tous les rideaux de fer sont fermés.

— Qu'est-ce que tu me reproches ? Je suis trop sévère avec toi ?

Ce qui m'énerve le plus quand je pleure, c'est que je ne sais jamais bien pourquoi, par exemple en ce moment, ça me picote sous les paupières et il ne me gronde pas, ni rien alors je n'ai pas de raison.

— Non... c'est pas ça.

— Alors qu'est-ce que c'est ? Explique-moi. Tu veux aller t'installer avec ta mère ?

Il dit vraiment n'importe quoi, il sait très bien que je n'irai jamais même si le peinturlureur est sympa, je n'irai jamais.

Il tousse et je le vois qui me jette un coup d'œil

et ça doit lui coûter de parler parce qu'il a sa pomme d'Adam qui lui monte et lui descend dans la gorge.

— Ça t'embête qu'on soit séparés, Sylviane et moi ? C'est pour ça que tu es parti ?

Ça me fait rire parce que ça m'est vraiment égal, ça m'arrange même.

— Non, c'est pas ça.

— Qu'est-ce que c'est alors ?

Allez, faut lui dire, c'est la belle occasion, maintenant ou jamais. Je prends ma respiration et je plonge, comme à la piscine.

— Je voudrais aller à Bangkok avec toi.

C'est juste à ce moment-là qu'on a eu l'accident.

Ça a sonné fort contre le garde-boue de la voiture en face. Le conducteur a jailli avec sa grande bouche ouverte comme un feu rouge et papa est descendu aussi en s'excusant.

— C'est ma faute, entièrement, j'ai eu un moment d'inattention...

Je voyais l'autre, tout furieux à travers le pare-brise. Il n'y avait pas de quoi, il avait juste de la peinture enlevée et son aile un peu tordue, presque rien mais ce devait encore être un maniaque, un de ces types qui polissent sans arrêt leur voiture avec du coton comme si ce n'était pas de la tôle. Et puis ça klaxonne derrière, de plus en plus fort. Si on reste là, on va bloquer tout Paris.

Franck revient et il grommelle entre ses dents. On démarre.

— C'est parce que je t'ai dit que je voulais aller à Bangkok que tu as fait l'accident ?

Il pianote sur le volant.

— Oui, c'est ça, exactement : ça m'a fait une surprise.

J'ai attendu qu'on soit arrivés pour lui en reparler parce que c'était pas la peine de défoncer encore plein de voitures.

Arrivé chez nous, papa s'est assis, les mains sur ses genoux et il a dit.

— De toute façon, ce n'est pas possible : tu n'as pas les vaccins et c'est trop cher.

Merde, les vaccins, je n'y avais pas pensé, mais pour l'argent, aucun problème.

— J'ai mon livret de caisse d'épargne.

Il balaie d'un geste.

— Et puis, tu sais parfaitement que ta mère ne voudra pas, on en a déjà discuté.

— On peut lui demander quand même.

Je sens qu'il va dire « Bon Dieu de bon Dieu de bon Dieu ».

— Bon Dieu de bon Dieu de bon Dieu, quand tu as quelque chose dans la tête, on peut dire que tu ne l'as pas dans les pieds.

— Tu vas essayer de demander à maman ?

Il s'étire et me balance un direct du droit.

— Je vais essayer, je ne tiens pas à te courir après toutes les cinq minutes.

Je lui place un direct du gauche.

— Elle voudra peut-être, dis-je, si elle veut, il faudra que je me fasse vacciner.

Je lui place une série au foie.

— Dong, dit-il.

Fin du premier round.

RAPE POUR LES ELEPHANTS

C'est le grand dimanche décisif. Je sens que tout se décide et j'ai fait mon lit impeccable, j'ai mis les bols, sorti le beurre, enfin tout ce qu'il fallait et Franck a salué et dit :

— Chapeau, tu es la vraie demoiselle de la maison.

C'est toujours pareil, quand je me dévoue, il se fout de moi et après il s'étonne que ça me décourage. Il a téléphoné ce matin et j'ai entendu que c'était Maman. Ça avait l'air de barder.

Je ne sais pas s'il a un plan mais quand il a reposé l'appareil, il a dit. .

— On va en visite tous les deux et ça ne me fait pas rire.

Moi non plus et à présent, ça m'ennuie d'avoir déclenché tout ça mais je ne veux pas aller en Ardèche, ça il n'y a rien à faire.

D'habitude, le dimanche matin, avant que je parte, on traîne un peu en pyjama, on se lave pas tout de suite, on lit un peu au lit mais aujourd'hui, pas question, il faut se savonner dur et ça m'étonne qu'il ne tente pas encore de me curer les oreilles avec ces tiges comme si je ne savais pas le faire tout seul.

Il a mis son costume qu'il ne met jamais. Il est toujours en blouson et j'aime bien la façon dont il s'habille, il a des trucs pratiques, américains, et sportifs, il a les cheveux un peu longs dans le cou, pas trop mais ça boucle et il met des lunettes pour voir de près. Mémé dit que je ne lui ressemble pas du tout mais je ne ressemble pas non plus à ma mère. Ça fait que je ne ressemble à rien. Tant pis. Mais je le trouve bien, j'aimerais être comme lui quand il s'assoit sur les grands tabourets des bars et qu'il s'accoude, c'est là qu'il est le mieux, dans ces moments-là on dirait un vrai Américain. Là où il est moche, c'est quand il met son bonnet d'hiver, avec son nez qui devient rouge et ses oreilles écarlates, là il est pas jojo. Il sait faire des grimaces terribles aussi, je m'écroule de rire dès qu'il commence. On faisait des concours autrefois à celui qui serait le plus atroce. Il me laissait gagner parce que j'étais plus petit mais en fait c'était lui le super-moche. Mais c'est pas aujourd'hui qu'on fera un concours, ça me paraît évident.

Il s'en est passé des choses en huit jours ! Le hold-up d'abord, et toute cette frousse, et puis ma balade chez Maryse Ventroux, et puis papa qui me ramène, et finalement aujourd'hui où ça va pas être piqué des hannetons.

Mais c'est bien que tout ça se termine aujourd'hui

parce que les vacances c'est dans huit jours et qu'il va falloir faire bientôt les valises.

Franck sifflote mais c'est pas parce qu'il est gai, c'est qu'il se sent nerveux. Quand il est gai, il siffle autre chose.

— On mange avec eux, annonce-t-il, tu crois qu'on doit apporter des gâteaux ?

Il fait sa tête lamentable et ça me fait rire. Pendant qu'il va prendre son imperméable, je l'entends qui grommelle.

— Des gâteaux ! Ils se foutent de moi depuis un an et je vais leur apporter du Saint-Honoré. Peut-être ! Non mais, qu'est-ce qu'ils s'imaginent ?

Il piétine sur le palier. Ça va me faire drôle de les voir tous ensemble à manger. Je suis sûr que Bill va être gêné, il va rester tout rouge sur sa chaise et Sylviane ne va pas être gênée du tout, elle, peut-être elle va s'engueuler avec Franck comme avant qu'elle s'en aille de la maison.

— Allez, dit Franck, il faut y aller. Et quand faut y aller, faut y aller.

— On y va alors ?

— On y va.

On y est allés.

— Voilà, dit Franck, c'est au sujet de Laurent, pour les vacances.

— Aucun problème, dit Sylviane, je m'en occupe pendant les deux mois, tu veux passer les radis, Bill ?

Bill passe les radis et repose ses fesses sur les bords de sa chaise. Moi j'avale ma salive.

Franck se tartine du beurre depuis trois minutes et reste le couteau en l'air.

— Justement, j'aurais aimé qu'on en parle parce que je pensais que tu pouvais le prendre en août par exemple et en ce qui concerne le mois de juillet...

— Il n'en est pas question.

Ce qui est terrible chez elle, c'est le ton qu'elle a. Elle fait un bruit de tronçonneuse. On la voit, on l'entend et on sait qu'elle ne changera jamais d'avis. Mais elle va connaître le mien.

— Je veux pas, dis-je, j'irai pas avec vous.

Les yeux de Sylviane me criblent.

— Voilà du nouveau, on t'a fait la leçon et pour une fois tu l'as bien apprise.

Franck fait claquer sa fourchette sur la table et monte sa voix.

— Il n'y a pas de leçon, je suis venu pour discuter calmement.

— Alors, tu devrais crier moins fort.

Bill soulève ses fesses une deuxième fois et pose sa serviette, on l'entend à peine tant il parle doucement.

— Je vais montrer mes tableaux à Laurent, dit-il, il aime beaucoup.

Ce n'est pas vrai mais ça m'avantage de m'en aller. Peut-être ils vont s'arranger mieux en étant seuls.

On se lève. On dirait qu'on marche dans la neige tellement c'est silencieux.

Bill referme la porte comme s'il y avait cent kilos de dynamite dans la cloison.

On va dans l'atelier. Bill me montre dans un coin un gros tas tout suintant et brillant d'huile rouge.

— Qu'est-ce que tu en penses ?

Rien que de voir la couleur, ça m'écœure. Il s'est surpassé cette semaine.

Il rit parce que je grimace. Pour ça, il est sympathique. Il sait que je n'aime pas du tout ce qu'il fait mais il ne se fâche pas.

Il s'assoit par terre en tailleur et avec ses cheveux qui tombent, sa barbe et ses vieux pantalons, on dirait un mendiant. Je me demande comment ça se passe en ce moment dans la cuisine.

Soudain, Bill lève la tête et le voilà avec son air de Christ.

— Tu ne veux pas venir en Ardèche avec nous, n'est-ce pas ? Tu ne m'as jamais dit pourquoi.

Ça, c'est gênant à dire, parce que si je dis oui, ça lui fait croire que je peux pas le sentir et que c'est parce qu'il est là que je ne veux pas partir, or c'est pas ça du tout, je n'ai rien contre lui.

— C'est pas à cause de toi, c'est parce que je m'entends mieux avec Franck, voilà.

Il hoche la tête plusieurs fois de suite, très concentré et ses cheveux retombent en rideau.

— Très bien, fait-il, très bien.

On dirait qu'il est assis dans une église et il lève un très long doigt effilé.

— Cela t'ennuie de ne plus avoir ta maman avec toi ?

Je ne sais pas pourquoi, mais je ne peux pas m'empêcher de dire la vérité à ce type, si on lui faisait un mensonge, je suis sûr qu'il tomberait en miettes tout de suite.

— Pas du tout.

Il remédite. Je trouve le temps drôlement long.

195

On n'entend rien venant de la cuisine. Pas une voix. Zéro.

— C'est long.

J'aimerais bien qu'il réagisse, il ne dit strictement rien, il est complètement dans son rêve.

— Je vais aller écouter à la porte, dis-je, je crois que je vais faire ça.

Il relève la tête.

— C'est mal, dit-il, mais si tu veux savoir, c'est le moyen.

— Tu cafteras pas ?

Il proteste en levant les bras comme si on lui mettait un revolver sur le nez et je vais coller mon oreille au trou comme on voit les serviteurs le faire dans les livres d'école. Quand j'étais petit, je croyais même qu'il n'y avait que les serviteurs qui écoutaient aux portes mais maintenant je sais qu'il n'y a pas qu'eux.

Je ne comprends pas ce qu'ils disent mais le plus terrible, c'est que j'ai cru d'abord que ce n'était pas eux qui parlaient, j'ai eu l'impression que deux autres personnes étaient venues dans la pièce et puis après j'ai pensé que quand on ne voyait pas les visages, le bruit de la voix n'était pas pareil, mais la vraie raison, c'est qu'ils disaient des choses qu'ils n'avaient pas souvent l'habitude de dire, alors ils prenaient une autre voix parce que leur voix de tous les jours elle marchait pas pour ces mots-là.

Ce qui est terrible aussi, c'est que je ne comprends pas du tout ce que ces mots veulent dire mais en gros ça signifie que Franck partira tout seul.

J'en suis certain à présent.

Maman a dit : « Il n'y a pas eu de constat de

flagrant délit », et puis ils ont parlé de domicile sans arrêt, ils ne disaient plus « la maison », ils disaient domicile et même « domicile conjugal » et le pire de tout c'est quand ils ont parlé de « garde d'enfant ». Ça c'était moi qui étais dans l'histoire parce que « enfant » ça voulait dire moi. Mais « garde » ?

Pourquoi ils voulaient me faire garder ? Ils allaient quand même pas me fourrer en prison ou dans un endroit avec des gardes...

Ça discute froidement, ils ne se disputent plus mais c'est encore pire. Ils sont calmes comme tout, Franck dit à un moment.

— De toute manière, ce sera au tribunal de juger s'il y a torts réciproques ou non.

Ils vont donc divorcer.

C'est très idiot de ma part mais je n'avais pas pensé qu'ils feraient ça. Ça me fait peur parce que justement c'est plus eux qui vont décider de ce que je deviendrai, c'est un juge en rouge et ce bon-homme-là ne me connaît pas, il ne me demandera pas si je préfère Franck ou maman ou Bangkok ou l'Ardèche ou n'importe quoi, il dira Toc, c'est comme ça et Toc ce sera pas autrement et si on n'obéit pas, Toc, en prison. Parce que c'est ça les juges.

Ils parlent argent maintenant, c'est maman qui en parle surtout et papa qui tousse, il doit fumer sans arrêt et ça m'étonne qu'il n'ait pas encore dit « Bon Dieu de bon Dieu » mais c'est parce qu'il doit se retenir.

Ils parlent même plus du mois de juillet et ce n'est pas la peine que je continue à écouter. Je reviens sur la pointe des pieds.

Au milieu de ses infectes peintures, Bill est

toujours assis. J'ai l'impression qu'il a encore grandi depuis la semaine dernière.

— Alors ?

— Moche. Ils ne se battent pas mais je crois pas que j'irai avec lui, elle va pas vouloir parce qu'ils vont divorcer.

— Oh ! dit Bill.

Il dit oh ! comme s'il pensait à autre chose, ça n'a pas l'air d'être une grande surprise et puis il s'en fout, c'est pas son problème. Et il doit aimer l'Ardèche.

Pendant qu'il se gratte le nez, je lui demande.

— Si maman divorce, tu vas te marier avec elle ?

Ça c'est curieux parce que c'est la première fois qu'il me répond en américain.

— Qu'est-ce que tu dis ?

Il fait un sourire doux.

— Je ne peux pas, je suis déjà marié.

Ça complique les choses évidemment. C'est quand même drôle que ce grand fil de fer, il plaise tant. Il a deux femmes au fond.

— Mais tu peux divorcer avec l'autre ?

Il ne répond pas. Peut-être qu'en Amérique on n'a pas le droit.

— J'ai un garçon, dit Bill, comme toi,

— En Amérique ?

— Oui à Philadelphie.

Ça nous rend rêveurs. Il dit « il a dix ans aussi » et on reste comme deux cloches assis par terre avec les peintures qui pendent partout.

Voilà papa.

Il est un peu blanc mais il me sourit dès qu'il me voit et je saute vers lui. Sa main fourrage dans mes cheveux.

— On s'en va, dit-il, on va se promener un peu.

— Mais pour les...

Je n'ai pas le temps de continuer qu'il me pousse dans le couloir.

— Je t'expliquerai tout dans la voiture.

— Mais j'ai pas mangé !

Maman est là avec sa cigarette, elle a des jeans patte d'éléphant comme les danseuses de la télé avec une ceinture à grosse boucle qui serre. Elle a l'air calme aussi.

— Je vais te faire un sandwich.

J'ai pas faim au fond, pas du tout même, j'ai dit ça comme ça parce que ça m'étonnait qu'on parte après les radis et tout de suite elle est revenue de la cuisine avec son pain spécial, du noir que j'aime pas et du veau au milieu, je déteste aussi parce que ça reste entre les dents des jours entiers et même avec une épingle on arrive pas à sortir les petits bouts coincés.

Elle m'a embrassé et on est sortis. J'ai même pas revu Bill, j'ai simplement remarqué que quand il est arrivé dans l'atelier, papa lui a fait un signe de tête pour lui dire bonjour, il l'a fait rapidement mais ça m'a quand même étonné parce que moi si un jour il y a un type qui me prend ma femme : Chhhlonk ! En pleine poire.

C'est drôle un lac à Paris. On s'attend pas à en trouver un. Bien sûr, il n'est pas grand mais enfin il y a de l'herbe autour. L'embêtant c'est qu'on voit le toit des maisons au-dessus des arbres. Il y a quelques canards marrants sur l'autre rive.

— Voilà, dit Franck. La situation est simple : on va divorcer ta mère et moi, ça je suppose que tu le savais.

— Je suis pas fou.

— Bon, dit Franck. Alors si on divorce, le gros problème c'est toi.

Je vois pas pourquoi je suis un problème. Je suis pas une division ni des voitures qui courent dans tous les sens, enfin admettons.

On s'est assis sur un banc et il tape du bout du pied dans de petits cailloux. Il a même failli en envoyer un sur un promeneur. Il y a du monde le dimanche au printemps dans le bois de Boulogne.

— Enfin pour le moment, tu restes avec moi mais...

Il s'arrête.

— Ecoute, tu vas me promettre d'abord que tu ne vas pas faire encore une de tes bêtises.

Ça va, j'ai compris, plus besoin qu'il se fatigue.

— Alors je vais pas avec toi à Bangkok ?

Je le regarde et lui regarde entre ses souliers.

— Elle n'a pas voulu.

— Pourquoi ?

— Parce que légalement c'est son droit de...

— Qu'est-ce que ça veut dire légalement ?

— C'est la justice. Elle peut prétendre à...

— Mais puisqu'elle est partie avec Bill, moi j'ai le droit de partir avec toi.

Il rit tristement. Ça peut paraître étrange de rire tristement, ça paraît pas possible, eh bien lui il réussit à rire tristement et tout d'un coup il se lance dans des explications qui montrent qu'il est fatigué, fatigué, fatigué. Il ressort de tout ce qu'il raconte qu'il va y avoir la justice, un jugement, des avocats, que s'il veut me garder avec lui comme maintenant, ça va être dur, il y arrivera mais il ne doit pas faire de fautes parce que ça pourrait presque être un enlèvement, enfin tout un cinéma, bref c'est fini pour Bangkok.

Voilà, il a terminé, il se frotte les joues avec ses mains et il reste comme ça et moi aussi. C'est mes pieds à présent qu'il regarde et je me demande pourquoi. Je vais bientôt toucher le sol avec quand je serai assis. Ça va venir vite maintenant puisque j'arrive à frôler avec le bout. C'est joli comme coin, bien que ça ne soit pas la campagne. C'est joli aussi parce qu'il y a du soleil, ça fait un peu mal aux yeux avec les reflets, ça picote.

J'aurai tout tenté pourtant pour y arriver mais à présent tout est bien foutu. Papa m'explique encore des choses mais je n'y fais plus attention, c'est pas la peine : j'ai tout compris. C'est râpé pour les éléphants.

Je sais ce qui va se passer, j'ai plein de copains qui sont comme ça, ils vont six mois chez leur père, six chez leur mère ou une semaine chez chacun à tour de rôle. Ça ne me plaira pas alors j'ai une troisième combine pour pas aller en Ardèche et ça j'irai pas, je l'ai toujours dit. Et je suis sûr que je n'irai pas parce que la veille du départ en faisant les commissions, je me glisse dans le canal.

SO LONG, KID

Tout a bien marché ces jours derniers, à l'école toujours les mêmes histoires biscornues de petits piafs sur les cerisiers et de lapins qui bouffent trop de carottes par gourmandise, elle nous prend vraiment pour des tarés.

Jeudi c'était les prix et Franck est venu. Ça m'a soufflé parce que ça s'est passé pendant les heures où il travaille et j'étais persuadé qu'il resterait devant ses bobines. Il y avait des parents dans la salle avec de beaux costumes, les bonnes femmes frisées. Il y avait la mère à Gilles avec un manteau de fourrure, avec la chaleur elle devait souffrir, c'était comme du tigre mais luisant.

— Elle a acheté ça au marché, m'a soufflé Gilles, avec ce qui restait de l'argent du hold-up.

La directrice a fait un discours mais j'ai rien entendu parce qu'on bavardait tout le temps et puis après on passait devant un bonhomme de la mairie avec une moustache fine fine fine et toute collée et il serrait la main et donnait les livres.

Et puis on a appelé « Laurent Lanier ». Au moment où j'ai serré la main au bonhomme de la mairie, il y a eu un grand applaudissement et quand je me suis retourné, j'ai vu papa qui souriait près de la porte. Ce qui m'a plu c'est qu'il avait gardé son blouson et sa chemise en jean comme les cowboys, il était pas habillé pareil que les autres et ça prouvait qu'il s'en faisait pas, que c'était un type décontracté et j'ai été fier. Je lui ai fait salut de la main et après, à la sortie, il m'a offert l'apéro au tabac. C'est-à-dire un Pschitt orange pour moi.

Tout a bien roulé et il y a eu beaucoup de coups de téléphone de maman pour dire ce qu'il fallait mettre dans la valise, alors ça, ça me faisait drôlement marrer à chaque fois. Les deux pull-overs ? D'accord. Mon jean en velours ? Bien sûr, non je le froisserais pas, etc. etc.

Ça me fait drôlement rigoler de l'entendre. Moi je m'en fous parce que tout ça ne servira à rien du tout.

Je me suis senti tout doux tout doux à l'intérieur pendant tout ce temps et j'aurais pas cru. D'habitude, la mort c'est triste, quand quelqu'un est mort, tous les gens font des têtes d'enterrement eh bien pas moi.

Avant, quand j'étais plus petit ça m'épouvantait. J'avais toujours peur que mon cœur s'arrête. D'un coup. J'ai été longtemps à m'habituer à avoir un petit moteur et je me disais qu'à un moment, clac, ça pouvait s'arrêter de fonctionner. Je me tâtais de temps en temps pour vérifier si j'avais toujours bien mon tic-tac et Sylviane m'avait grondé et elle avait dit à Franck que je devais avoir des bêtes puisque je me grattais tout le temps.

Mais depuis que j'ai décidé que je serais mort vendredi, je me sens bien, je suis pas épouvanté du tout. Comme ça il n'y a plus d'Ardèche et ils n'auront pas à me faire garder ni rien. Et puis j'ai encore trois jours à vivre et l'école est finie alors j'ai le temps.

J'ai joué un peu au square mais il n'y avait plus tellement d'enfants. Evidemment il y avait Florence, quelle colle celle-là. On a joué un peu et j'ai pas pu m'empêcher de lui dire à un moment : « Dans trois jours je serai mort. »

— Ah bon, alors il faut faire ton testament.

Elle m'a pas cru. Comme papa pour le hold-up. Mais quand même j'ai trouvé qu'elle avait pas tort dans sa bêtise et en rentrant j'ai fait comme elle a dit.

D'abord je me suis rappelé qu'il y avait une formule de testament dans un des bouquins de mon étagère et j'ai trouvé la page. Maintenant il est devant moi, signé et bien écrit, copié en deux exemplaires.

Je ne sais pas à quoi ça va servir d'en faire deux mais souvent il faut deux exemplaires des papiers.

Alors voilà mon testament.

Moi, Laurent Lanier, né en 1965 à Paris (XVIIIe) sain de corps et d'esprit je fais ce testament pour que toutes mes affaires aillent à mon père Franck. Ma carabine winchester ira à mon ami Gilles

Laumelle et mon porte-plume où on voit la Tour Eiffel et Notre-Dame ira à Bill mon ami américain pour s'il veut le donner à son fils en souvenir.

Si quelqu'un de la classe veut mon sac d'école et la trousse, il peut le prendre.

Fait à Paris, le 28 juin 1975.
Signature

Laurent Lanier. Sain de corps et d'esprit. Je l'ai mis deux fois parce qu'on ne sait jamais.

Le testament dans une enveloppe et tout ça dans ma cachette secrète. Comme ça tout est prêt.

Encore deux jours.

Au fond c'est comme quand on dort. Il faut que je me dise que dans deux jours, je dormirai tout le temps. Ça va continuer partout à vivre, il y aura la radio comme en ce moment, peut-être pas la même musique mais il y aura de la musique, les bruits de la rue, il y aura le stylo, la télé, le fauteuil jaune, il y aura tout sauf moi.

J'arrive pas à imaginer.

Papa ne parle plus de Bangkok. On dirait qu'il a honte. Je ne sais pas s'il partira après mon enterrement. Ça va le retarder, mais il ira quand même.

Il ne va pas avoir grand monde à l'église parce que les copains sont tous partis en vacances, c'est bête pour eux parce que si j'étais mort pendant l'école, ça leur aurait fait une demi-journée tranquille au cimetière. Je me demande si la mère Carpentier se serait mise en noir... Elle aurait peut-être pleuré. Peut-être qu'elle pleurera si elle le sait, elle va regretter de m'avoir puni. « Lanier au tableau, Lanier, deux tours de récréation, Lanier trente lignes », oui, elle dira si j'avais su. Il sera bien temps !

Il y aura Florence évidemment. Celle-là ça m'étonnerait qu'elle vienne pas. Collante jusqu'au bout.

Gilles bien sûr. Il viendra avec son père dans la Simca du hold-up. Peut-être Dédé dans son beau costume, mais avec lui on ne sait jamais, je ne sais même pas s'il travaille encore au garage.

Maman et Bill, je ne sais pas comment il va s'habiller lui, il viendra peut-être en jean avec ses colliers, ses sabots en bois et son air de Christ fera bien à l'église.

Et puis il y aura Franck.

C'est pour lui que ça m'embête mais je ne peux plus renoncer maintenant. J'ai dit que je le ferai et je le ferai. C'est sûr.

Je me demande s'il y aura des fleurs.

C'est idiot parce que ça ne me fera rien du tout qu'il y en ait ou qu'il n'y en ait pas puisque tout sera noir.

Je sais même pas si ça sera noir parce que lorsqu'on dort, on ne peut pas dire que c'est noir, ça n'a pas de couleur : c'est rien.

Alors je vais être dans rien dans deux jours.

On ne doit pas rêver quand on est mort. Je ne crois pas mais on ne peut pas savoir parce que qui pourrait savoir ?

Peut-être aussi toutes ces histoires d'anges, de

Bon Dieu, de diable, peut-être que c'est vrai. Alors là. il va y avoir de la surprise et je me demande si c'est le paradis ou l'enfer.

Je crois que ce sera le paradis parce que je n'ai jamais rien fait de mal, ces temps derniers il y a eu le hold-up, la fugue, et puis des petites bricoles alors évidemment c'est peut-être l'enfer, mais ça va dépendre de la façon dont ils sont sévères.

Mais je n'y crois pas bien, je crois plutôt au sommeil, alors ça ne me fait rien de mourir parce que j'aime bien dormir, alors finalement dormir toujours, c'est l'idéal pour moi.

Plus qu'un jour.

Ma valise est dans le couloir. Théoriquement, Franck doit me mener à la gare de Lyon demain à huit heures du soir prendre le train pour l'Ardèche.

Hier soir pendant qu'on mangeait, il a dit :

— Tu ne parles pas de tes vacances.

Il avait l'air inquiet et pour le rassurer, j'ai dit :

— C'est pas la peine que je t'en parle puisqu'il faut que j'y aille...

Ça l'a pas beaucoup rassuré et il me regardait tout le temps après, jusqu'à ce que je pèle ma pomme. Il a remarqué :

— Tu es devenu bien raisonnable depuis quelques jours. Qu'est-ce que tu mijotes ?

J'ai eu peur qu'il devine, qu'il m'empêche de mettre mon plan à l'œuvre et j'ai pris l'air innocent et étonné. Après ça, je me suis forcé pour rire, pour bavarder on a regardé un peu la télé ensemble et il n'a plus rien dit.

Je sais où je vais aller.

C'est un endroit où il y a des escaliers en fer qui descendent tout droit dans l'eau devant un hangar qui est toujours fermé par un grand rideau de fer avec des lettres déteintes.

J'ai choisi cet endroit-là parce qu'il n'y a jamais personne, et d'une et que par là l'eau n'est pas sale, et de deux. C'est pas comme vers l'écluse ou le pont où c'est vraiment infect, là c'est pas bien clair mais c'est pas comparable.

Alors, vers sept heures, je descends, je cours jusque là-bas, je suis sûr que je mettrai pas un quart d'heure de chez nous, je descends l'échelle et je coule.

Je coule parce que j'ai vu un film à la télé où un type expliquait que si on avait des bottes aux pieds, alors là en dix secondes, c'était fait parce que les bottes se remplissent, ça tire et même si on essaie de nager ou de faire la planche ou n'importe quoi, il n'y a rien à faire, on se noie. Alors, avec mes bottes en caoutchouc pour la pluie, y aura pas de question.

J'ai tout prévu.

Comme pour le hold-up.

C'est dans trois heures.

J'ai tout bien rangé dans ma chambre. J'ai mis la winchester de Gilles sur le lit pour qu'il la voie tout de suite et j'ai bien mis les disques en piles à côté de l'électrophone. J'ai rangé les bouquins en ordre, par ordre alphabétique, tout comme il faut et j'ai relu des passages de ceux que j'ai aimés le plus.

J'ai presque relu *Ivanhoé* en entier, c'est beau celui-là, et il y a des images de chevaliers, de tours, de femmes avec des chapeaux comme les fées, elles attendent derrière des créneaux... Ce devait être une belle époque, on pouvait y vivre de belles histoires, c'est pas comme aujourd'hui où il y a des métros partout, où c'est si compliqué. On a perdu les châteaux, on vit dans des maisons moches alors on s'ennuie. C'est triste.

J'ai relu encore un peu *Les Trois Mousquetaires*. C'est Franck qui me l'a acheté. J'ai été long à me décider à le lire et puis un jour je m'y suis mis et ça m'a plu sauf les histoires d'amour et aussi quand à la fin ils lui coupent la tête à cette bonne femme. Evidemment, elle le méritait, elle tuait toujours tout le monde autour d'elle, mais quand même je trouve pas ça normal. Je ne sais pas expliquer pourquoi.

Après, j'ai regardé les photos. C'est surtout moi qui suis dessus. J'aime bien celle où on est sur une barque Franck et moi et où on pêche. J'ai eu envie de l'emporter mais c'est vraiment stupide parce qu'avec l'eau, quand ils la retrouveront, elle sera toute gondolée, alors ça ne sert à rien. J'ai trié mes soldats, mes indiens et mes animaux. J'en ai jeté un paquet parce qu'il y en avait plein de cassés. J'ai jeté l'éléphant aussi, cela faisait longtemps qu'il n'avait plus de trompe et que la couleur des défenses était partie. Je le gardais toujours parce que c'était le plus ancien de tous. Mais maintenant, c'est plus la peine que je le garde parce que personne ne voudrait d'un vieil éléphant tout cassé. C'est quand même drôle que je n'aie jamais pu arriver à en voir un jour de vrai. Plein à la télé ou au cinéma mais jamais autrement, même aux cirques où on m'a emmené, il n'y en avait jamais. C'est le manque de chance.

C'est pas tout, mais il faut que j'y aille, parce que si je traîne trop, papa va rentrer et ça ne sera plus possible. Ça fait tout de même une boule dans la gorge, la plus grosse que j'aie jamais eue et je sens que si quelqu'un dans la rue me dit quelque chose, je tomberai par terre.

Ce qu'il faut que je me répète sans arrêt, c'est que ça va me faire froid et puis après je vais dormir. Ils se débrouilleront là-haut, moi, je serai tranquille.

Voilà, il est sept heures.

Dans le couloir ma valise est toujours là et elle ne sert à rien. C'est trop tard pour que je la défasse. Je me regarde dans la glace et c'est la dernière fois que je me vois. Je suis pas mal comme mec. Je boucle drôlement.

En ce moment, je ne suis pas très beau parce que j'ai mis un vieux pull trop chaud et tout moche parce que ce n'est pas la peine de bien se saper pour aller dans le canal. Pas de gaspillage.

J'ouvre. Je sors, je referme à clef et je la mets sous le paillasson pour que papa puisse la retrouver et je n'ai plus rien à faire à présent.

Comme ça, ils comprendront que c'était pas un caprice.

Ce sera sur le journal demain.

Comment dit Bill déjà, quand je m'en vais ? Ah oui :

So long, Kid...

EPILOGUE

Le crâne monstrueux pelait par grandes plaques.

Leurs peaux semblaient à peine vivantes et aux jointures surtout, c'était comme une écorce d'arbre, comme un nœud au cœur d'un tronc séculaire.

Franck les suivait de l'œil cherchant à savoir quel mystère ils exerçaient sur lui. Peut-être qu'ils étaient à la fois des roches, des végétaux et des bêtes. De loin, lorsqu'il les avait vus pour la première fois dans la trouée des arbres, ils ressemblaient à trois îles de pierre polies par la vague d'une mer incessante, et puis c'étaient les plis, les cassures qui l'avaient surpris et ensuite seulement l'œil étrange, placé de biais, l'œil à la lente paupière et aux cils laineux, l'œil où brillait une vie malicieuse et enfouie.

La femelle avait disparu assez vite, prenant brusquement et sans raison un trot bas et régulier.

Les deux autres restaient là devant eux, colosses indifférents à la vie miroitante de cette journée ensoleillée.

Franck fouille dans sa poche de poitrine et met ses lunettes de soleil. Un groupe d'Américains passe en jacassant. Ils ont des chemises hawaiiennes à ramages, des shorts trop longs et sont bardés d'appareils photos dont les lanières s'entrecroisent comme les cartouchières de bandits mexicains. Ils puent du cigare et leurs femmes tentent d'écraser l'odeur de la sueur de juillet qui leur mouille les tempes et les fanons sous des nuages de poudre de riz et des giclées de déodorants.

Il lève les yeux : le ciel est bleu vacances, le bleu des affiches de publicité pour les clubs nautiques. Il sort une Gauloise, l'allume et ferme les yeux, savourant la journée poivrée.

Des images passèrent : Jeanine était là dans ce jardin au bord de la mer qui devait l'attendre. Ce serait bien d'aller la retrouver là-bas, ce serait...

— Franck !

Laurent court vers lui dans le soleil. Il est en nage. Un début de coup de soleil sur les joues.

Franck sourit et tire sur sa cigarette.

— Alors, ça y est ? Tu les as vues de près, cette fois, tes bestioles ?

Laurent rit et ne répond pas. Il en est encore tout illuminé.

— Tu restes là ? Si tu restes, j'y retourne.

Franck s'étire.

— Dépêche-toi quand même, on ne va pas rester là toute la journée, il y a autre chose à voir.

Le gosse est déjà reparti à toute allure, il a disparu derrière un groupe de Japonais ligotés à leurs caméras et qui filment sans interruption comme si leur vie en dépendait. Tout avait été vite ces derniers jours ! Les images et les souvenirs affluent à la mémoire de Franck. Il avait rencontré Laurent dans l'escalier le soir où il devait l'expédier en Ardèche et ils étaient remontés ensemble parce qu'il fallait partir très vite, qu'il y avait des encombrements sur le boulevard et que la gare de Lyon n'était pas la porte à côté.

Et dès l'entrée, il avait entendu la sonnerie du téléphone. D'abord, il n'avait pas compris qui appelait, c'était l'Américain, le grand échalas de Sylviane et les mots qu'il se rappelait en cet instant étaient inséparables de cette voix douce et traînante, une voix d'église à l'accent new-yorkais.

— Monsieur Lanier, j'ai parlé un peu avec Sylviane et je crois qu'elle accepte de vous laisser votre fils pour les vacances.

Il était resté le souffle coupé et puis ç'avait été plus fort que lui, il avait lancé :

— Alors vous, vous pouvez vous vanter d'être fortiche ! Ça m'intéresserait de savoir comment vous vous y êtes pris !

Bill avait été lent à répondre et puis gentiment il avait murmuré :

— Nous allons partir quelque temps en Amérique et j'ai pensé que votre fils préférait rester avec vous. Elle a accepté.

Franck avait regardé son fils et remarqué combien il avait maigri depuis quelque temps. La sale mine des gosses des villes. Il allait lui faire bouffer du solide pendant toutes les vacances, pour le requinquer. Il avait un peu serré les mâchoires et avait lâché :

— Vous m'avez fait cocu et c'est ridicule que je vous remercie mais c'est pourtant ce que je fais. Pour Laurent.

La voix de l'Américain était devenue plus terne encore.

— Je vous demanderais, monsieur Lanier, de lui dire adieu de ma part.

Franck avait reposé le combiné.

— Défais ta valise, avait-il dit, tu restes avec moi. On doit une fière chandelle à ton peintre barbouilleur.

Il revoyait encore le visage du gosse à ce moment-là, mais il n'avait pas compris pourquoi Laurent avait dit : « Bon, alors, je peux retirer mes bottes. » Encore un mystère de l'âme enfantine.

Franck se leva. La poussière était telle que ses mocassins disparaissaient sous une couche grise. Il s'approcha de l'enclos et vit son fils en extase devant deux pachydermes.

— Alors, dit Franck, on s'en va ?

— Déjà ?

Franck regarda sa montre.

— Six heures. C'est l'heure de la fermeture.

Ils marchèrent côte à côte dans l'allée vide et virent le métro devant eux.

— Il faut changer deux fois, dit Laurent, une fois à Réaumur-Sébastopol, l'autre à Stalingrad.

Franck eut un geste de grand seigneur.

— On ne s'est pas offert Bangkok, dit-il, on peut bien se payer un taxi.

Laurent rit et prit la main de son père.

— C'est bête que j'aie pas eu mon vaccin, on aurait pu y aller. On va rester tout le mois à Paris ?

— Je ne pense pas, dit Franck. Ça te dirait la

Normandie ? J'ai une copine là-bas, si on y va, on pourrait se baigner.

Laurent se tourna vers son père et le soleil lui fit cligner des yeux.

— Comment tu dis qu'elle s'appelle ta copine ?

— Jeanine.

— Elle a pas une sœur plus jeune ?

Franck se mit à rire.

— Traverse.

Ils coururent entre les clous pour rejoindre la station de taxis et Laurent désigna derrière lui la tour rocher du zoo de Vincennes.

— Je pense que ça va t'embêter, dit-il, mais on ne peut pas y retourner demain ?

— J'allais te le proposer, dit Franck, je tiens absolument à voir les alligators.

Dans la voiture, ils s'affalèrent sur le siège brûlant et baissèrent les vitres.

Le soleil entra, illuminant leurs visages et, ensemble, ils eurent le même soupir de bien-être.

Franck se pencha et se releva aussitôt.

— Mais dis donc, quand tu es assis, tes pieds touchent par terre !

Laurent se baissa pour constater.

— J'ai dû grandir, dit-il. Ça a l'air de t'embêter...

Franck resta un instant silencieux et se mit brusquement à rire. Il s'ébroua comme quelqu'un qui chasse de vieux fantômes et lorsqu'il se tourna vers son fils ses yeux étaient clairs.

— Je vais te dire une charade, dit-il, mon premier...

Dehors, le soleil ruisselait sur les boulevards.

TABLE DES MATIÈRES

Composition réalisée par M.C.P. FLEURY LES AUBRAIS

IMPRIMÉ EN FRANCE PAR BRODARD ET TAUPIN
Usine de La Flèche (Sarthe).
LIBRAIRIE GÉNÉRALE FRANÇAISE - 6, rue Pierre-Sarrazin - 75006 Paris.

ISBN : 2 - 253 - 03052 - X　　　　　　　　　30/5699/1